Ravensburger Taschenbücher

Band 217

Hans Baumann

Ein Kompaß für das Löwenkind

Geschichten, Gedichte
und ein Kasperlespiel für Kinder
Mit vielen Bildern
von Margret Rettich

Otto Maier Verlag Ravensburg

Erstausgabe
Erste Auflage in den Ravensburger Taschenbüchern
Für die Ravensburger Taschenbücher ausgewählt
von Hans Baumann

Umschlagentwurf: Margret Rettich

Gesamtherstellung: Verlag und Druckerei G. J. Manz AG, Dillingen/Donau
Printed in Germany 1972
ISBN 3 473 39217 0

Inhalt

Ein Kompaß für das Löwenkind

In der großen Wüste hatte sich
ein kleiner Löwe verlaufen.
Da wollte ihm ein Wüstenfuchs
einen alten Kompaß verkaufen.

„Paß auf", so sprach er, „das W ist West,
das O natürlich Osten,
Norden und Süden sind ebenfalls drauf,
und für dich soll er gar nicht viel kosten."

„Und die Kompaßnadel, wo ist denn die?"
„Die", sagte der Fuchs, „ging verloren."
„Dann verlaß ich mich", sagte das Löwenkind,
„schon lieber auf Mutters Ohren."

Brüllt dreimal laut,
und eh der Fuchs schaut,
ist die Löwin schon da:
„Na, da bist du ja!"

Fenny, der Wüstenfuchs

Fenny, der Wüstenfuchs, war noch sehr jung. Doch der Platz, an dem er lebte, gehörte ihm allein. Dort gab es ein Wasserloch mit zwei Dattelpalmen, auch Wüstenmäuse und Wüstenkäfer, sogar Wüstenhühner – und weit und breit keine gefährlichen Spuren. Fenny brauchte keine Angst zu haben. Er war gelb wie die Wüste. Wer hätte ihn da entdecken sollen! Niemand hatte so gute Augen wie er, niemand eine bessere Nase. Seine Ohren waren so groß wie sein Kopf.

Eines Tages, als Fenny am Wasserloch lag, stellten sich seine Ohren ganz von selbst auf. Fenny sah einen Löwen. Da lief er davon und scharrte so lange im Wüstensand, bis von Fenny nichts mehr zu sehen war. Doch ein Löwe läßt sich so leicht nicht täuschen. Er ging der Spur nach, und wo sie aufhörte, legte er das linke Ohr an die Erde. Da tat es tuktuk, tuktuk, tuktuk – das Wüstenfuchsherz klopfte laut vor Angst. Der Löwe zog Fenny hervor und sagte: „Vor mir brauchst du keine Angst zu haben. Ich will dich nicht fressen."

„Warum bist du dann gekommen?" fragte ihn Fenny.

„Weil es dort, wo ich lebte, so langweilig war", sagte der Löwe. „Wenn es dir recht ist, bleibe ich hier."

„Wunderbar!" sagte Fenny. „Du bleibst bei mir, ich bleibe bei dir – für immer."

So wurden Fenny und der Löwe Freunde. Sie spielten zusammen, und manchmal erzählte der Löwe Geschichten. Er war weit in der Wüste herumgekommen. Nun verschwand er nur noch, wenn er Hunger hatte. Er hatte nicht vor, seinen Freund zu verlassen. Und auch Fenny wäre das nie eingefallen – da kam ein kleiner Vogel geflogen, gerade als der Löwe unterwegs war, ein kleiner schwarzer Vogel mit weißer Brust. Er setzte sich

auf eine der beiden Palmen und fing an zu schwatzen: „Mehr Bäume gibt's hier wohl nicht als die zwei?"
„Gibt es anderswo denn mehr Bäume?" fragte Fenny erstaunt.
„Hundert Bäume, tausend Bäume!" sagte der schwarze Schwatzevogel.
„Und gibt's dort auch Füchse?" wollte Fenny wissen.
„Viele Füchse, rote Füchse!" schwatzte der Schwatzevogel weiter. „Du solltest dich einmal in der Welt umsehen, besonders im Land der roten Füchse!"
„Wie kommt man dorthin?" fragte Fenny gleich.
„Du mußt nur immer nach Norden laufen", sagte der schwarze Schwatzevogel, „bis du an das Meer kommst. Über das Meer fährst du auf einem Schiff."
Fenny wußte nicht, was das Meer, was ein Schiff ist. Der Schwatzevogel erklärte es ihm, und Fenny ließ sich von ihm beschwatzen und rannte gleich los, immerzu nach Norden, bis an das Meer. Zwischen vielen Matro-

senbeinen lief er auf ein Schiff, er versteckte sich zwischen großen Kisten und fuhr übers Meer. Und dann lief er weiter ins Land der roten Füchse.
„Wie viele Bäume es bei euch gibt!" sagte Fenny, als er den ersten Rotfuchs traf.
„Ist das denn was Besonderes?" fragte der Rotfuchs.
„Dort, wo ich wohne", sagte Fenny, „gibt es nur zwei."
„Und wie steht's dort mit Gänsen und Hühnern und Enten?"
Fenny blickte verlegen zur Seite. Da nahm ihn der Rotfuchs zu einem Bauernhof mit, und hier gab es Federvieh genug. Der Rotfuchs fing eine junge Gans, trug sie in den Wald und teilte mit Fenny.
„Schmeckt besser als unsere Wüstenhühner", gab Fenny zu.
Zwei Tage danach waren sie unterwegs, um bei einer Mühle Enten zu holen. Da hörten sie einen entsetzlichen Knall. Die Füchse rannten in ein sicheres Versteck.
„Was war das?" fragte Fenny.
„Ein Jäger", sagte der Rotfuchs.
„Was ist das, ein Jäger?"
„Ein Mann, der Füchse totschießt."

„Gibt es viele von denen?" erkundigte sich Fenny.
„Eine ganze Menge", gab der Rotfuchs zu.
Nun gefiel es Fenny nicht mehr im Land der roten Füchse. Er wollte sich schon auf den Heimweg machen – da traf er einen weißen Schnattervogel, der eine schwarze Schwanzspitze hatte. „Wie wär's mit dem Land der weißen Füchse?" schnatterte der weiße Schnattervogel. „Dort schwimmen Berge aus Eis im Meer herum, auf ihnen fahren die weißen Füchse spazieren."
„Und wie kommt man dorthin?" fragte Fenny sofort.
„Du mußt nur immer nach Norden laufen", sagte der weiße Schnattervogel.
Und Fenny lief nach Norden, durch viele Länder, bis er den ersten weißen Fuchs traf. Der freute sich, daß er Besuch bekam, und sie fuhren auf einem Eisberg spazieren. Erst war das lustig. Aber bald begann Fenny zu schlottern. Wohin er auch sah – überall war Eis. Als die Spazierfahrt zu Ende war, fing der Polarfuchs fünf Fische aus einem Eisloch. Die Fische waren fürchterlich kalt und schmeckten Fenny gar nicht.

Und dann kam das Schlimmste: Als sie eben den fünften Fisch verspeisten, tauchte ein Rudel Eskimohunde auf. Der weiße Fuchs sagte: „Jetzt heißt es laufen!"
Sie rannten um ihr Leben. Fenny fror nicht mehr. Als der weiße Fuchs stehenblieb, lief Fenny weiter. Er lief und lief immerzu nach Süden – bis in das Land der roten Füchse. Er lief und lief, bis er an das Meer kam. Zwischen vielen Matrosenbeinen lief er auf ein Schiff und fuhr zwischen Kisten versteckt übers Meer. Und dann lief er in die Wüste hinein, bis er die zwei Dattelpalmen sehen konnte.
Da blieb er stehen. Seine großen Ohren stellten sich von selbst auf. Von weitem sah er den Löwen kommen, und nun hatte er Angst wie niemals zuvor. War er nicht seinem Freund davongelaufen, ohne ihm auch nur ein Wort zu sagen?

„Hallo, Fenny!“ rief der Löwe, als er näher kam. „Wo hast du dich denn nur herumgetrieben?“
„Zuerst war ich im Land der roten Füchse“, begann Fenny verlegen, „aber nur, weil mich dieser Schwatzevogel beschwatzt hat.“
„Und wo dann?“ fragte der Löwe weiter.
„Im Land der weißen Füchse“, fuhr Fenny fort, „aber nur, weil dieser Schnattervogel gesagt hat —“

Da lachte der Löwe. „Ich sehe schon, du kannst mir viel von Füchsen erzählen.“
Fenny sah seinen Freund von der Seite an. „Du bist ja gar nicht böse!“
„Warum sollte ich dir denn böse sein?“ meinte der Löwe. „Einmal muß sich doch jeder in der Welt umsehen. Sonst denkt er immer, es könnte anderswo schöner sein.“
„Hier ist es am schönsten“, beteuerte Fenny.
„Man sieht, du bist weit herumgekommen“, sagte der Löwe.

1:0 für die Kinder

In allem sind die Erwachsenen besser
als wir — sagen sie.
Sie essen vorbildlich mit Gabel und Messer
und kommen nie
zu spät in die Schule oder nach Hause.
Sie raufen und lärmen nicht in der Pause,
zerreißen auch ihre Hosen nicht
und sind sehr wichtig — sagt ihr Gesicht.

In einem aber sind wir überlegen:
In Afrika, China, Brasilien, Norwegen,
Australien und Spanien und Kuba und Schweden,
von Polen und Kanada gar nicht zu reden,
sogar in Berlin und Bayern und Sachsen
sind wir um Klassen besser im Wachsen.

Im Wachsen, das merkt ein Blinder,
steht's 1:0 für uns Kinder —
stimmt's?

Kinderhände

Ein Holländerkind
ein Negerkind
ein Chinesenkind
drücken beim Spielen
die Hände in Lehm.
Nun sag,
welche Hand ist von wem?

Strohgelbe Haare

Stell dir vor, alle
Mädchen und alle
Jungen und alle
Hunde und alle
Katzen und alle
Affen und alle
Ochsen und alle
Eisbären hätten strohgelbe Haare!
Wär das vielleicht das einzig Wahre?

Da sagt ein heller Kopf
mit rabenschwarzem Schopf:
„Langweilig wär's in jedem Falle."

Der große Elefant und der kleine

Im Lande der Elefanten lebte ein kleiner Junge, der Roy hieß. Roy war kleiner als alle Jungen im Dorf, die wie er schon sieben Jahre alt waren. Er war nicht einmal so groß wie die Jungen mit fünf. Immer wieder fragte ihn einer: „Willst du nicht mehr wachsen?" Und das ärgerte ihn.

Der kleine Roy war ein mutiger Junge. Er schwamm durch den Fluß, an dem das Dorf lag, was kein Junge in seinem Alter wagte. Nicht einmal vor Schlangen fürchtete er sich. Nur vor der Frage „Willst du nicht mehr wachsen?" hatte er Angst. Und weil die andern nicht aufhörten, ihn so zu fragen, hörte er auf, mit ihnen zu spielen.

Er fand einen Platz, an dem er vor Fragen sicher sein konnte: eine kleine Insel mitten im Fluß. Auf ihr stand ein Baum, der höher und breiter war als die Bäume, die Roy jemals gesehen hatte.

„Du bist mein Haus", sagte Roy zu dem Baum. „Kein anderer hat ein so großes Haus, und kein anderes Haus hat ein so breites Dach." Roy versuchte, den Stamm des Baumes zu messen: fünfmal seine ausgebreiteten Arme! Und zwei der Wurzeln waren so dick, daß Roy nicht zu sehen war, wenn er sich dort setzte. Dies Versteck war das Zimmer, in dem er schlief. Unter einer der Wurzeln hielt Roy verborgen, was er an Schätzen gesammelt hatte: zwei Muscheln, die innen wie Seide glänzten, und einige Kiesel, blau wie der Himmel. Das alles hatte in einer Hand Platz.

Eines Mittags schlief Roy unter seinem Baum. Er wurde wach, weil jemand auf ihn trat, nicht einmal einen Augenblick lang – aber als Roy erschrocken auffuhr, sah er über sich einen Elefanten. Der Elefant ließ seinen

Rüssel pendeln und zwinkerte Roy zu — mit dem rechten Auge. Roy verstand ihn. Er rückte ein wenig, um Platz für den Elefanten zu machen. Der Baum gab genügend Schatten für beide, und mehr verlangte der Elefant nicht.

Der Elefant sagte: „Schön ist es hier."

Und da sagte Roy: „Genaugenommen ist es mein Haus. Aber wie man sieht, ist für dich auch noch Platz."

„Tut mir leid", sagte der Elefant, „daß ich so groß bin."

„Macht nichts", sagte Roy, „wir werden uns den Schatten teilen."

„Nett von dir", sagte der Elefant. „Aber was, lieber Himmel, habe ich denn für dich?"

Der Elefant überlegte lange. Und dann sagte er: „Ich werde ein wenig auf dich aufpassen, damit nicht der Tiger dich stört, wenn du schläfst."

„Ist er denn in der Nähe?" fragte Roy erstaunt. Mit dem Tiger hatte er nicht gerechnet.

Da hob der Elefant seinen Rüssel und trompetete laut. Roy sah, daß drüben am anderen Ufer etwas verschwand. Das war der Tiger.

„Man merkt, daß er große Angst vor dir hat", sagte Roy.

„Er fürchtet sonst keinen", sagte der Elefant, „und mich nur deshalb, weil ich so groß bin. — Also dann bis morgen!"

Damit nahm er Abschied, schwamm über den Fluß und verschwand im Wald.

Auch Roy schwamm nach Hause. Er war stolz, daß er einen so großen Freund hatte. Mit ihm traf er sich nun Tag für Tag. So hätte alles gut gehen können. Mit der Zeit aber fand Roy sich selber zu klein — gemessen an

seinem einzigen Freund. Und eines Tages gestand er es ihm.
Der Elefant wiegte den mächtigen Kopf. „Was kann man da machen? Auch mir wäre lieber, wir wären gleich groß." Dann überlegte er und sagte: „Vielleicht läßt sich doch etwas machen – für einen Freund bringt man vieles fertig."
Und am folgenden Tag staunte Roy nicht wenig: Der Elefant war kleiner geworden. Er mußte sich, um an die Äste zu kommen, auf seinen Hinterbeinen aufrichten. Noch gestern war das nicht nötig gewesen.
Roy fragte ihn: „Wie ist so was nur möglich?" Der Elefant hielt nur den Kopf schief und blinzelte mit seinem linken Auge. Doch immer noch war der Elefant groß, verglichen mit Roy.
Am nächsten Tag war es noch besser: Soviel der Elefant sich auch streckte – er konnte die Äste nicht mehr erreichen. Aber Roy reichte ihm nun schon fast an den Bauch. Als Roy wieder fragte: „Wie ist das nur mög-

lich?" – blinzelte ihm der Elefant zu, diesmal mit seinem rechten Auge. Und so ging's weiter, und nach sechs Tagen war Roy fast so groß wie der Elefant, es fehlte nur noch um einen Kopf. „Und morgen werde ich so groß sein wie du?" fragte Roy seinen Freund. Der blinzelte – mit seinem linken Auge.

Und am Tag darauf ... ihr könnt es euch denken: Roy war so groß wie der Elefant – der Elefant war so klein wie Roy. Roy war zufrieden. Er stellte sich dicht vor den Elefanten und fuhr mit der flachen Hand von seinem Kopf zum Kopf des Elefanten hinüber: beide gleich groß!

Da setzte sich Roy. Er blickte zum Elefanten auf, der nun den halben Himmel verdeckte. Roy störte das nicht

mehr. Er brauchte nur aufzustehn, um so groß zu sein wie der Elefant. Roy war so glücklich wie nie zuvor.
Nach einer Weile hörte er ein Fauchen. Der Elefant erstarrte vor Angst. Etwas Fürchterliches war in der Luft.
Der Tiger! dachte Roy, nun wagt er sich an den Elefanten, weil er so klein ist! Es war der Tiger, hoch in der Luft. Doch er stürzte sich nicht auf den Elefanten – er flog in weitem Bogen in den Fluß und schwamm davon.
Der kleine Elefant war zur Seite gewichen, und nun dachte Roy: Da steht ein Gespenst! Denn ein großer Elefant stand neben dem kleinen.
„Wer bist du denn?" fragte Roy.

„Dein alter Freund – kennst du mich denn nicht mehr?" sagte der große Elefant.
„Und wer ist der – kleine? Ist er denn nicht du?" fragte Roy weiter.
Der große Elefant schwang den Rüssel. Er schien um eine Antwort verlegen. Doch dann sagte er: „Was blieb mir denn übrig? Ich merkte, daß ich für dich viel zu groß war. Da dachte ich nach, wie ich's ändern könnte. Zum Glück bin ich Herr einer stattlichen Herde. Da gibt's Elefanten in allen Größen. Ich schickte dir Tag um Tag einen andern – jeden um ein gutes Stück kleiner. Wir alle sind uns ja ziemlich ähnlich. So war es ganz einfach. Ich sagte jedem, er sollte nur blinzeln, wenn dir einfiele, ihn etwas zu fragen. Ich dachte an alles – nur nicht an den Tiger. Erst als ich den kleinsten Elefanten geschickt hatte, fiel mir der Tiger ein, und da trabte ich los und kam noch zurecht, um ihm eins mit meinem Rüssel zu geben."
„Dann hab ich ja Freunde in allen Größen", sagte Roy und strahlte vor Glück.
„Natürlich", sagte der große Elefant, „und die Größe spielt überhaupt keine Rolle."
Er zwinkerte Roy zu: mit dem rechten, dann mit dem linken Auge. Da kugelten sich die beiden vor Lachen, der große Elefant und der kleine.

Buchstaben zu verkaufen

Maximilian zieht ein schiefes Gesicht
und sagt: „Mein Name gefällt mir nicht.
Er ist zu lang – gleich zehn Buchstaben!
Das ist zuviel für *einen* Knaben."

Maximilian ist auf den Markt gelaufen,
um sieben Buchstaben zu verkaufen:
„Wer will ein N, ein A?"
Gleich sind drei Käufer da.
„Wer braucht ein M, ein L?"
Sechs melden sich zur Stell.
„Nun hab ich noch drei I."
Sie gehen weg, und wie!

Ein Käufer will auch noch das X.
Da sagt der Junge: „Daraus wird nix.
M, A und X geb ich nicht her –
nun heiß ich Max, das freut mich sehr."

Der Fliederbusch

Im Juni betrachtet die Krähe
den Fliederbusch aus der Nähe
und krächzt: „O Schreck, o Graus,
siehst du verrostet aus!"

„Ein Schrotthaufen", schreit der Spatz,
„wär für dich der richtige Platz."
„Komm nächstes Jahr etwas früher vorbei",
sagt der Flieder, „Besuchszeit hab ich im Mai."

Das Wolkenboot

Ein kleines weißes Wolkenboot
versteckt sich hinterm Abendrot.

Es hält sich dort verborgen
und wartet auf den Morgen.

Der Morgen kommt mit leisem Schritt
und bringt ein blaues Segel mit.

Ein kleiner Fisch spricht mit dem Wal

„Ach, lieber Wal, ich bin noch klein
und möchte nicht gern gefressen sein.
Der schreckliche Hai
kommt oft hier vorbei.
Du hast statt der Zähne einen Zaun,
der winkt mir zu, kann ich ihm traun?
Im Meer gibt's nicht viel sichere Ecken,
um sich vor dem Hai zu verstecken."

Da sagt der Wal: „Nun red nicht lang
und komm herein und sei nicht bang!"

Tina und Nina

Tina ist schon fast fünf Jahre alt. Nina, ihre Puppe, ist erst dreieinhalb.
Nina hat schwarzes Haar und blaue Augen – genau wie Tina.
Tina ist eine große Nina, und Nina ist eine kleine Tina.
Tina und Nina gehören zusammen wie
Vogel und Vogelnest,
Nuß und Nußknacker,
Bus und Busschaffner,
Himmel und Wolken,
Kaminkehrer und schwarze Leiter,
Verkehrspolizist und Zebrastreifen,
Aufwachen am Morgen und Morgensonne im Fenster,
Sandkasten und Rutschbahn auf dem Kinderspielplatz,
Herr Nennemann und Herrn Nennemanns riesengroßer schwarzer Hund –
so gehören Tina und Nina zusammen, und genaugenommen noch viel, viel mehr, weil nämlich vorkommen kann, daß
ein Vogel da ist und kein Vogelnest,
ein Nußknacker da ist und keine Nuß,
ein Busschaffner und kein Bus,
der Himmel da ist und keine Wolke,
ein Kaminkehrer und keine schwarze Leiter,
der Morgen und keine Morgensonne im Fenster,
ein Zebrastreifen und kein Verkehrspolizist,
Herr Nennemann und kein riesengroßer schwarzer Hund.
Daß aber Tina da ist und Nina nicht, ist ausgeschlossen.

Nina ist dabei, wenn Tina auf dem Balkon spielt.
Nina ist dabei, wenn der Verkehrspolizist die vielen Autos und Autobusse nicht weiterfahren läßt, damit Tina mit Nina über den Zebrastreifen gehen kann.
Nina ist dabei, wenn Tina neben Herrn Nennemanns riesengroßem Hund die Treppe hinaufsteigt.
Und natürlich ist Nina auch dabei, wenn Tina mit ihrer Mutter zum Spielplatz geht, auf dem die vielen Kinder spielen. Alles machen sie dort zusammen.
Erst rutschen Tina und Nina die Rutschbahn herunter.
Dann schaukeln Tina und Nina auf der Schaukel.
Dann fahren Tina und Nina Karussell.
Und dann backen sie beide im Sandkasten Kuchen – und merken vor lauter Sandkuchenbacken nicht, daß am Himmel eine schwarze Wolke auftaucht, genau über dem Spielplatz.
Auf einmal fegt über den Spielplatz ein Wind, daß die Mützen gegen die Zäune fliegen und die Spatzen sich

in den Büschen verstecken. Rattattatt fängt ein Platzregen zu prasseln an. Da laufen alle Kinder, und Tina und die Mutter sausen zum Bus und erwischen ihn grade noch, und der Regen prasselt an die Busfensterscheiben und prasselt, als sie aussteigen müssen, und sie kommen naß wie zwei Fische nach Hause. Tina wird sofort ausgezogen und trockengerubbelt und ins warme Bett gesteckt.
„LieberHimmelwardasabereinschrecklicherRegen", sagt die Mutter in einem Atemzug, und von Tina ist nur die Nasenspitze zu sehen, so tief hat sie sich in ihr Bett gekuschelt.
Aber nicht lange! Auf einmal hebt Tina erschrocken den Kopf und schaut dorthin, wo Nina immer ist, wenn Tina im Bett liegt.
Keine Nina ist zu sehen. Und da sagt die Mutter: „Nun haben wir doch Nina auf dem Spielplatz vergessen!"
Tina will natürlich sofort aus dem Bett und Nina holen.

„Bleib nur liegen!" sagt die Mutter. „Bei dem schrecklichen Regen ist nichts zu machen."
Als aber die Mutter bemerkt, *wie* Tina dorthin schaut, wo Nina nicht ist, macht sie ein geheimnisvolles Gesicht und sagt leise: „Hör zu! Morgen früh beim Aufwachen wird Nina dort sitzen, wo sie immer sitzt, wenn du im Bett bist, und wird dir haargenau alles erzählen: wie sie sich auf den Weg macht, weil es Nina ohne Tina einfach nicht aushält; wie sie ganz allein vom Sandkasten loszieht bis zum Bus mit dem netten Busschaffner, du weißt schon, bis zum Zebrastreifen mit dem netten Verkehrspolizisten; und vielleicht trifft sie auch den netten Kaminkehrer mit der schwarzen Leiter und dem roten Motorrad und Herrn Nennemanns riesengroßen schwarzen Hund – und jetzt rasch geschlafen, damit es nicht lang dauert bis zum Aufwachen am Morgen, bis zum Blinzeln, ob es auch wirklich stimmt. Und du wirst schon sehen ..."
Da sitzt Nina wie immer auf ihrem Platz und sagt atemlos: „LieberHimmelwardasabereinschrecklicherRegen! Und ich liege im Sandkasten und bin klatschnaß und kann unmöglich gleich hinter dir herlaufen, weil mich dieser Wind einfach weggefegt hätte! Aber kaum hat der schreckliche Wind sich gelegt, lauf ich auch schon los, ich weiß ja den Weg. Und ich laufe bis zur Bushaltestelle, und der Busschaffner, der nette, hilft mir die hohen Stufen hinauf und sagt gleich: ‚Ich weiß schon – Tina bezahlt morgen!' und hilft mir beim Aussteigen, und ich laufe über den Zebrastreifen, und der Verkehrspolizist, du weißt schon, läßt die Autos und Busse nicht weiterfahren, damit mir nichts passiert. Und drüben steht der Kaminkehrer mit dem roten Motorrad und zieht aus seiner schwarzen Hosentasche ein weißes Taschentuch und legt es auf den Rücksitz und setzt

mich darauf, und ich sause brnn brnn auf dem roten Motorrad bis vor unsre Haustür. Und dort stellt sich Herrn Nennemanns riesengroßer Hund so an die Treppe, daß ich aufsitzen kann, und ich reite auf ihm bis vor unsre Wohnung, und noch vor dem Läuten macht die Mutter die Tür auf und puh, da bin ich."

Da ist sie, tatsächlich, und ist zerzaust vom schrecklichen Wind und immer noch naß vom schrecklichen Regen und ganz außer Atem vom vielen Erzählen. Tina reibt sich die Augen – *Nina ist da.*

Und der Morgen ist da und die Morgensonne im Fenster, und Tina und Nina sind wieder zusammen wie
Vogel und Vogelnest,
Nuß und Nußknacker, Bus und Busschaffner,
Himmel und Wolken,
Kaminkehrer und schwarze Leiter,
Verkehrspolizist und Zebrastreifen,
Sandkasten und Rutschbahn auf dem Kinderspielplatz,
Herr Nennemann und Herrn Nennemanns riesengroßer schwarzer Hund.

„Siehst du", sagt die Mutter zu Tina, „hab ich dir doch gesagt!"

Aprilscherz

„Hallo, Regenpfütze,
wozu bist du nütze?
Mit dir ist's bald aus —
da kommt schon die Sonne."

„Die seh ich mit Wonne,
sie bringt mich nach Haus.
Dann gibt's wieder Regen —
hast du was dagegen?"

Die Krone

Der König schreit aufgeregt:
„Wo bleibt denn nur meine Krone!"
Der Mann, der sie bringt, überlegt:
Ist er denn keiner — ohne?

Bei Nußknackers

Nußknackers feiern Geburtstag heute.
Ich muß schon sagen: Sehr nette Leute!
Nußknackerurgroßvater ist hundert
Jahre geworden, was mich nicht wundert.
Er lebt gesund –
das ist der Grund.

Frau Nußknacker hat Nußkuchen gebacken,
die ganze Familie mußte nußknacken.
Hundert wird man nur einmal im Leben,
ein Nußkuchenfestessen wird drum gegeben.
Wer Nußkuchen hat,
macht viele satt.

Der jüngste Nußknackerurenkel spricht
ein Urgroßvatergeburtstagsgedicht.
Dann geht's an den Nußkuchen — wie das kracht!
Denn aus Nußschalen ist der natürlich gemacht.
Die Nüsse selbst, dreihundertvier,
bekommen wir.

Hausschwalben

Bei uns, da haben (ich bin ja so froh!)
zwei Schwalben ihr Nest gebaut.
Sie wohnen ausgerechnet im — oh,
ihr wißt schon, das sagt man nicht laut.

Und ordentlich sind sie! Nicht eine Spur
von Schwalbendreck, nirgends Verdruß.
Weil's Mutter so haben will, machen sie nur
dahin, wo man macht, wenn man muß.

Ein gutes Versteck

Punkt sechs kommt der D-Zug vorbeigefahren —
und Paul sitzt in seinem wunderbaren
Eisenbahnunterführungsversteck.

Tatatatt tatatatt kommt der Zug heran,
ein Riesengepolter fängt droben an,
über Paul rollt Wagen auf Wagen weg:

Donner und Donner und Donner, ein Blitz!
Und Paul hat seinen sicheren Sitz.

Strafe muß sein

Nach jedem neuen
Lausbubenstreich
betrachtet sich Thomas
im Gartenteich.
„Du Schlingel“, sagt er,
„was fällt dir ein!
Schon wieder was angestellt –
Strafe muß sein.“

Er geht mit sich selber
streng ins Gericht:
Eine Ohrfeige klatscht
in das Spiegelgesicht.
„Dir treib ich deine
Flausen schon aus“,
sagt Thomas und geht
beruhigt nach Haus.

Das Schiffschaukelschiff

Der kleine Jan hatte einen großen Freund. Das war Schiffschaukel-Pit. Schiffschaukel-Pit hatte eine Schiffschaukel mit drei Schaukelschiffen: einem blauen, einem gelben, einem roten Boot. Das rote Schaukelschiff gefiel Jan am besten. Schiffschaukel-Pit kam jedes Jahr einmal: zum großen Jahrmarkt auf dem Rummelplatz. Der Rummelplatz lag unten am Fluß. Gleich nebenan war auch Jan zu Hause. Beim Jahrmarkt wurden viele Buden aufgeschlagen, ein Karussell, eine Geisterbahn. Pit stellte seine Schiffschaukel auf, und wer bezahlte, der durfte schaukeln.

Es gab einen, der neben der Schiffschaukel saß und die Schwünge mitzählte. Dabei ging sein Kopf immer hin und her. Wenn er fand, daß es reichte, bellte er dreimal: Nun-aber-Schluß! Das war Blackie, der Hund, der Pit gehörte.

Blackie heißt Kleiner Schwarzer, und das paßte genau: Blackie hatte ein schwarzes Zottelfell, spitze schwarze Ohren und pechschwarze Augen. Weil sich Jan auch mit Blackie gut verstand, hatte er zwei Freunde.

Jan durfte schaukeln, sooft er wollte. Er schaukelte immer im roten Schaukelschiff. Und bei ihm zählte Blackie natürlich viel länger. Aber irgendwann wurde auch bei Jan gebellt: Nun-aber-Schluß! Das gefiel Jan gar nicht. Sein Traum war, mit dem Boot so hoch zu kommen, daß es oben stehenblieb und dann Kreise zog. Aber Jan war erst sieben.

Pit lachte, weil Jan so hoch hinaus wollte. Er sagte: „Alles zu seiner Zeit! Mit zwölf oder dreizehn schaffst du es bestimmt."

Doch so lange wollte Jan auf keinen Fall warten. Er sagte: „Es soll auch bei mir im Kreis herumgehen,

immer rund herum! Immer rund herum!" – Beim Schaukeln hörte er, wie das Boot ihn antrieb: Und noch, und noch, und noch, und noch!
Nun-aber-Schluß! bellte Blackie laut. Jan hörte nicht auf Blackie, nur immer auf sein Boot, und holte noch und noch einmal Schwung. Doch so sehr er sich's auch in den Kopf gesetzt hatte – er kam mit dem Schaukelschiff nicht bis nach oben, bei ihm drehte es sich nicht. Auch am letzten Tag der Jahrmarktwoche schaffte er es nicht.
Am nächsten Morgen wachte Jan viel früher als sonst auf. Es rauschte mächtig. Noch nie hatte Jan so ein Rauschen gehört. Er lief ans Fenster und sah die Bescherung. Ein Wasserfall kam vom Himmel herunter. Die Straße war ein Bach, der Platz war ein See. Der Fluß war über die Ufer getreten und hatte den Rummelplatz überschwemmt. Die Buden waren Inseln im Wasser. Pit hatte die Schiffschaukel schon halb abgebaut. Jan sah im See die Schaukelschiffe schwimmen. So rasch er nur konnte, zog er sich an und lief auf den Rummelplatz hinaus.
Pit war dabei, das gelbe Schaukelschiff einzuholen. Blackie war hinter dem blauen her. Jan plantschte auf sein Boot los, das rote Schaukelschiff. Es hatte sich in einer Hecke versteckt. Jan stieg ins Schaukelschiff und hielt sich an den Heckenzweigen fest. Das rote Schaukelschiff begann zu schaukeln: Na los, na los!
Da ließ Jan die Zweige los, und sein Boot kam in Fahrt. Jan fand das lustig. Er hörte Blackie bellen und hörte Pit rufen: „So halt dich doch fest!" Aber Jan hatte seinen Spaß daran, im Boot zu fahren. Er fuhr an den Uferhecken vorbei.
Das Boot trieb immer schneller dahin. Schließlich war es mitten im Fluß. Am Ufer flogen die Büsche vorbei,

Bäume und Häuser. Die Brücke kam entgegen und wurde immer größer. Zwischen zwei Pfeilern tat sich ein Tor auf. Auf das Tor schoß das rote Schaukelschiff los.

Nun lachte Jan nicht mehr. Er sah, wie die Pfeiler den Fluß zusammendrängten, das Boot schoß unter dem Brückenbogen durch, und dann fing es an, sich im Kreis zu drehen, immer rund herum, immer rund herum. Es war in den großen Strudel geraten, der sich hinter der Brücke gebildet hatte. Der Strudel ließ das Boot nicht mehr los und trieb es im Kreis.

Jan hatte Angst. „Pit!" rief er laut, „komm, hilf mir doch heraus!" Pit war schon unterwegs. So rasch er konnte, rannte er zur Brücke. Blackie folgte ihm in weiten Sprüngen. Und als die beiden zur Brücke kamen, machte Blackie einen Riesensatz: von der Brücke ins rote Schiffschaukelschiff. Das Boot bekam einen mächtigen Stoß und schoß aus dem Strudel heraus ans Ufer.

Da lief Pit wieder von der Brücke herunter und kam gerade noch zurecht, um das Schiffschaukelschiff an Land zu ziehen. Er hob Jan aus dem Boot und sagte grimmig: „Nun hattest du, was du wolltest — immer rund herum, immer rund herum! Bist du jetzt zufrieden?"
Jan konnte nichts sagen, er sah Blackie an, und auf einmal drückte er Blackie halb tot. Da riß sich Blackie los, rannte zehnmal um Jan und Pit herum und fing dann an zu bellen: Nun-aber-Schluß!

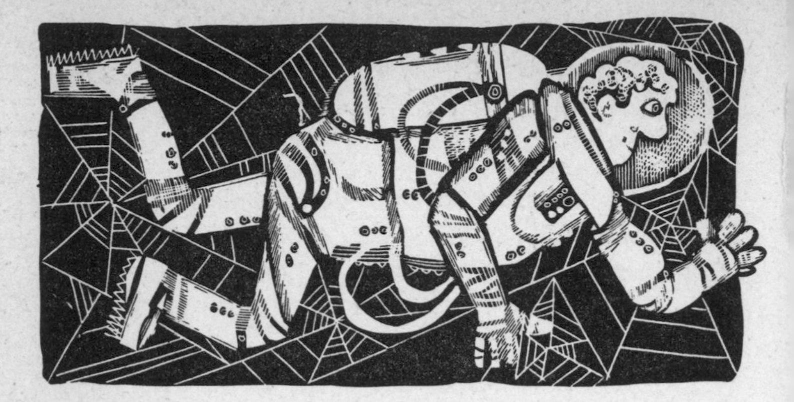

Die Astronautenfrau

Ein Astronaut hatte eine Frau,
die nahm es mit Spinnweben sehr genau,
Spinnweben fand sie in jeder Ecke.
Da sagte der Mann: „Wenn ich welche entdecke
da droben am Mond, und wär's eine bloß,
dann schick ich dich mit dem Staubsauger los."

Das weltberühmte Huhn

Einem Huhn hat man jetzt
ein Denkmal gesetzt.

Da kamen in hellen Haufen
Tiere geflogen, gelaufen.

Tauben, Spatzen und Raben
wollten auch eines haben.

„So ein Denkmal ist für die Katz!"
schrie ein Kater über den Platz.

„Warum für das Huhn?" schrie ein Hund,
„kennt einer von euch den Grund?"

Das Hühnervolk gackerte aufgeregt:
„Es hat das Ei des Columbus gelegt."

Zwei Miezekatzen, verschieden alt

An einem windgeschützten Platze
sitzt eine ältere Miezekatze.

Kommt eine von den Jungen
um die Ecke gesprungen.

Fragt die Junge so nebenbei:
„Sag mal, ist hier ein Plätzchen frei?"

Sagt die ältere von den zwei Miezen:
„Aber du kannst mich ruhig siezen!"

Sagt die Junge: „– 'tschuldigung bitte!"
Noch ein Seitenblick. Ab durch die Mitte.

Neues von der Floh-Olympiade

Die Goldmedaille im Marathonlauf
gewann
ein
Floh
aus
dem
Frankfurter
Zoo
mit großem Abstand, das fiel allen auf.

„An mir liegt das nicht", sagt der Floh, „allenfalls an der Trainingsstrecke:
Zu diesem Zwecke
nahm ich mir einen Giraffenhals."

Die drei im blauen Ballon

An einem schönen Septembertag vor ungefähr zweihundert Jahren wurde ein Abenteuer bestanden, von dem alle Welt sprach: Zum erstenmal reiste jemand durch die Luft. Drei Ballonfahrer stiegen zu den Wolken auf und schwebten über Straßen und Flüsse und Städte, vom Wind getragen! Das war unerhört. Das Ereignis wurde nicht mehr vergessen. In jedem Lexikon ist zu lesen: Erste Luftfahrt am 19. September 1783. Wer aber waren die drei Abenteurer, die als erste den Weg durch die Lüfte antraten – an jenem schönen Septembermorgen vor ungefähr zweihundert Jahren?

Damals lebte auf einem Bauernhof in der Nähe von Paris, also mitten in Frankreich, ein farbenprächtiger Hahn. Seine Flügel glänzten wie goldene Schilde, sein Schwanz wie ein dreifacher Regenbogen. Auf dem Kopf trug er eine feuerrote Krone. Deshalb nannte ihn der Bauer „Roter Mohn", und französisch heißt das Coquelicot.

Das spricht man so:
Kokliko –
hinten mit einem langen o!

Auf dem Hof gab's natürlich auch noch andere Tiere: Pferde und Kühe, Schafe und Schweine, Gänse und Enten. Eine von den Enten war ausnehmend hübsch. Doch ihr war es am liebsten, wenn niemand sie bemerkte. Wenn ihr der Bauer über den Weg lief und ihr

zurief: „Guten Morgen! Was macht meine hübsche kleine Ente?" regte sie sich schon auf und schnatterte gleich los: „Nannanna! Nannanna!" Daher kam es, daß der Bauer sie Nannanna nannte.

Was sagst du da:
Nannanna –
hinten mit einem langen a!

Auch ein Hammel gehörte zum Bauernhof, ein wahres Prachtstück von einem Hammel. Sein Pelzmantel schützte ihn vor Regen und Wind, ein Paar krummer Hörner vor anderen Hammeln. Wie ein Denkmal stand er da, und wer ihn erblickte, bewunderte ihn. Dem Hammel aber war alles gleich – Hauptsache, er hatte genug zu fressen. Hin und wieder brummte er vor sich hin. Den Brummer nannte der Bauer Bujabu.

Nun hör gut zu:
Bujabu –
hinten mit einem langen u!

Der Hammel Bujabu, die Ente Nannanna und der Hahn Kokliko – die drei waren der Stolz des Bauernhofes. Und nicht nur der Bauer hielt große Stücke auf sie, auch die Bäuerin und ihre beiden Kinder: Christoph und Annette. Annette liebte am meisten die Ente. Christophs besonderer Freund war der Hammel. Auf ihm ritt er lieber als auf einem Pferd, weil er weich wie auf einer Wolke saß. Beim Vater galt vor allem der Hahn Kokliko. Nie wäre es ihm eingefallen, sich von Kokliko

zu trennen. Und der Hahn hielt sich selber für unentbehrlich.
Doch am zwölften September, genau eine Woche vor dem Tag, der später so berühmt werden sollte, wurde der Hahn von Unruhe gepackt. Er krähte immer wieder: „Was ist denn nur los! Was ist denn nur los!"
Zwei Tage später sagte er voraus: „Da zieht was heran! Da zieht was heran!"
Am siebzehnten September behauptete er sogar: „Ein Abenteuer liegt in der Luft!"
Und am achtzehnten hörten ihn die anderen schreien: „Wir sind bereit! Wir sind bereit!" Sie steckten verwundert die Köpfe zusammen – bis auf den Hammel, dem alles gleich war. Der Bauer aber sagte zu Christoph und Annette: „Hört euch das an! Was ist nur in unsern Hahn gefahren?"
„Vielleicht kommt ein Gewitter", meinte Annette.
Aber Christoph sagte: „Wer weiß, was da kommt!"
Da kamen zwei Kutschen auf den Hof gefahren. An den Türen prangte das Wappen des Königs. In der vorderen Kutsche saßen zwei Kammerherren, einer mit gelbem, einer mit grünem Frack. Die hintere Kutsche dagegen war leer.
Der Gelbfrack und der Grünfrack stiegen aus der Kutsche. „Wir kommen vom König", sagte der Grünfrack.
„Womit kann ich dienen?" fragte der Bauer.
„Mit einem Hahn, einer Ente und einem Hammel", sagte der Gelbfrack. Und der Grünfrack fuhr fort: „Überall hat man die drei gekannt, den Hahn Kokliko, die Ente Nannanna und den Hammel Bujabu. Sie sind die Schönsten im Land, und nur die Schönsten kommen in Betracht."
„Wofür?" wollte nun der Bauer wissen.

„Das ist ein Geheimnis", erklärte der Gelbfrack. „Nur eins ist sicher: Schon morgen werden die drei sehr berühmt sein."
Da sagte der Bauer: „Dann könnt ihr sie haben."
„Du willst meine liebe Nannanna hergeben?" fragte Annette.
Und Christoph rief: „Meinen lieben Bujabu?"
„Ich gebe ja auch meinen Kokliko her", sagte der Vater, „und er ist mein Freund."
„Bravo!" riefen beide Kammerherren.
Der Grünfrack sagte: „Ihr sollt dabei sein, wenn der König eure drei Freunde empfängt — den Hammel Bujabu, die Ente Nannanna und den Hahn Kokliko."
Da wurden die drei in die leere Kutsche gesetzt, und auch der Gelbfrack und der Grünfrack stiegen ein.
Als die Kutschen davonrollten, sahen der Hahn und die Ente und der Hammel aus dem Kutschenfenster, Kokliko mit stolz erhobener Krone, Nannanna besorgt und Bujabu gleichgültig. Kinder und Vater und Mutter winkten, bis die Kutschen hinter einem Hügel verschwanden.

Am nächsten Mittag, Schlag zwölf Uhr, betraten Christoph und Annette, der Vater und die Mutter den Hof im Königsschloß. Es lag nur eine Stunde vom Bauernhof entfernt.

Christoph und Annette hielten nach dem König Ausschau. Er war nirgendwo zu sehen – dafür aber viele, viele Leute. Kinder waren auf Balustraden geklettert, die verwegensten sogar auf die Dächer.

Da erschienen die beiden Kammerherren, der Gelbfrack und der Grünfrack, und sie führten Christoph und Annette, den Vater und die Mutter nach vorn zu einer Bühne, die vor der Schloßterrasse aufgebaut war.

Auf der Bühne waren zwei Masten errichtet. Von Spitze zu Spitze war ein Seil gespannt. Daran hing ein großer himmelblauer Sack. Am Sack hing eine Gondel, die Gucklöcher hatte und mit Schnüren zur Seite gezogen war. Denn unter dem Sack war eine Feuerstelle. Neben dem Feuer stand der Erfinder, der sich das alles ausgedacht hatte, und hinter ihm warteten zwei Gehilfen. Da tat es Bumm!

Eine Kanone hatte einen Schuß abgefeuert.

„Der König!" rief eine laute Stimme.
Und der König erschien auf der Schloßterrasse. Er war von der Königin begleitet, von Prinzen und Prinzessinnen, Hofdamen und Kammerherren und mindestens zweihundert Kammerdienern.
Die Leute riefen: „Es lebe der König!" Und der König winkte nach allen Seiten.
Der Erfinder gab seinen beiden Gehilfen ein Zeichen. Sie hoben vom Boden Blasbälge auf und begannen mächtig ins Feuer zu blasen. Die Luft über dem Feuer fing an zu zittern und stieg in den Sack. Aus ihm wurde eine große himmelblaue Kugel, die von Seilen an der Bühne festgehalten wurde. Auf die Kugel waren rote Vorhänge gemalt, goldene Ringe und Ornamente und achtmal ein goldenes L, weil der König Ludwig hieß.
„Aah!" rief die Menge, und die Hofdamen und die Kammerherren klatschten Beifall.
Da tat es zum zweitenmal Bumm! Eine Kutsche fuhr vor. Aus dem Fenster blickten der Hahn, die Ente und der Hammel. Der Gelbfrack machte die Kutschentür auf, und der Hahn flog sofort auf das Bühnengeländer und krähte laut: „Hier bin ich, hier!"
Der König schwenkte fröhlich seinen Hut und sagte: „Guten Tag, mein tapferer Kokliko!"
Christoph lief zur Kutsche und holte Bujabu, und der Hammel stieg hinter ihm auf die Bühne.
„Guten Tag, Bujabu!" sagte der König.
Annette holte Nannanna aus der Kutsche und trug sie auf die Bühne.
Und der König sagte: „Guten Tag, Nannanna!"
Der Erfinder machte nun die Gondeltür auf. Als der Hahn das sah, flog er gleich in die Gondel. Auch der Hammel stieg ein, von Christoph geführt. Zuletzt kam die Ente. Dann wurde die Gondeltür zugemacht.

Da tat es zum drittenmal Bumm! Die Halteseile wurden durchgeschnitten, die blaue Kugel mit der Gondel erhob sich. Die erste Reise durch die Luft begann.
Aus den Gucklöchern streckten die drei Ballonfahrer ihre Köpfe. Bald waren sie so klein, daß man sie nicht mehr unterscheiden konnte. Wunderbar glänzten die goldenen Buchstaben. Die Gondel stieg immer höher in den Himmel.
Da schrien die Leute und umarmten sich. Hüte wurden in die Luft geworfen. Und der König beglückwünschte den Mann, der den Luftballon hatte steigen lassen, und sagte zu ihm: „Mein großer Erfinder!"
Der Wind trug die blaue Kugel weiter. „Wir reisen um die Welt!" rief der mutige Hahn. „Nannanna!" meinte die Ente, „wer weiß, was noch kommt."

Und schon bald traf den Ballon ein harter Windstoß. Eine Wolke tauchte am Himmel auf. Sie wurde rasch größer und immer dunkler und jagte hinter dem Luftballon her.

„Keine Angst!" rief der Hahn. „Alles geht gut!"

Aber sogar die Sonne verdunkelte sich. Der Luftballon sank immer tiefer. Er fegte über einem Wald dahin, und die Gondel streifte die Wipfel der Bäume. Und dann fiel ein Blitz. Der Luftballon suchte sich ein Versteck: zwischen einem Stall und einer Scheune – mitten auf einem Bauernhof. Aus der schönen Kugel wurde ein Sack. Die Gondel kullerte über den Boden. Die Luftfahrer purzelten durcheinander. Und die Gondeltür sprang von selber auf. Als erster stieg der Hammel aus. Er hatte alles gut überstanden. Ihm folgte die Ente. Sie war froh, daß die Reise ein Ende hatte.

Und wo blieb der Hahn? Endlich kam er zum Vorschein. Aber wie sah er aus! Er hatte viele Federn gelassen. Ein Flügel war gebrochen und hing herunter.

„Wo sind wir nur, wo?" krähte er kläglich.
Da gackerten zehn Hühner: „Na, wo denn wohl, wo!"
Vier Schweine grunzten: „Zu Hause! Zu Hause!"
Zwei Pferde wieherten: „Ihr seid wieder hier!"
Sechs Schafe blökten: „Was wollt ihr noch mehr?"
Sofort hob der Hahn seine rote Krone und verkündete laut: „Wir haben gesiegt! Wir haben gesiegt!"
Als die Hennen besorgt seinen Flügel ansahen, sagte der Hahn: „Ein Blitz hat mich getroffen. Doch was macht mir das schon aus!" Und da waren alle stolz auf den Hahn, sogar die Ente. Nur der Hammel nicht! Er nämlich wußte es ganz genau, wie das mit dem Flügel gekommen war. Als die Gondel sich überschlagen hatte, war er aus Versehen auf den Hahn getreten.
Aus der Nachbarschaft liefen die Leute zusammen, um den riesengroßen blauen Sack anzusehen, der aus dem Himmel herabgefallen war.
Und da rief jemand laut: „Wo ist mein Kokliko?" Das war der Vater. So rasch er konnte, war er zum Hof zurückgelaufen – mit Frau und Kindern.
Der Hahn stolzierte über den Hof, und es störte ihn nicht, daß ein Flügel nachschleifte.
„Daß ich dich nur wieder habe!" sagte der Vater und kümmerte sich gleich um den verwundeten Flügel.
„Meine liebe Nannanna!" sagte Annette und nahm die Ente auf ihre Arme.
„Bujabu, wie geht's dir?" fragte Christoph. Und als der Hammel zufrieden brummte, schwang sich Christoph auf seinen Rücken.
„Und jetzt bleiben sie hier", erklärte der Vater. „Alles ist nun glücklich vorbei."
Doch da kamen gleich drei Kutschen angerollt. In der vorderen saßen der Gelbfrack und der Grünfrack. Die beiden anderen Kutschen waren leer.

„Was wollt ihr denn schon wieder?“ fragte der Vater.
„Befehl vom König!“ sagte der Grünfrack. „Die drei Himmelsbezwinger haben sofort im Schloß zu erscheinen.“
Der Vater blickte verlegen drein.
Der Hahn aber krähte: „Hier sind wir, hier!“
„Der Hahn hat Verstand“, sagte der Gelbfrack.
Da nahm der Vater seinen Hahn und trug ihn vorsichtig zur mittleren Kutsche. Annette tat das gleiche mit ihrer Ente, und Christoph schob seinen Hammel hinein.
In die dritte Kutsche stiegen der Vater und die Kinder.
Die Mutter aber blieb zu Hause, weil ihr das alles zu aufregend war. Sie winkte den drei Kutschen nach, zusammen mit den vielen Leuten auf dem Hof.
Noch viel mehr Leute aber begrüßten die Kutschen, als sie im Königsschloß ankamen. Und der König ehrte die Himmelsbezwinger und verlieh jedem ein goldenes Halsband. Und alle drei wurden zu etwas ernannt: der Hahn Kokliko zum Königlichen Oberhahn, die Ente Nannanna zur Königlichen Oberente und der Hammel Bujabu zum Königlichen Haupthammel.
Der König sprach: „Eure Tat wird man nie mehr vergessen.“
Da machten die Leute so großes Geschrei, daß die Schloßfenster klirrten; und niemand konnte die Worte hören, die der König zum Erfinder sagte, der sich das alles ausgedacht hatte. Der König winkte mit seinem Hut und ging in sein Schloß. Ihm folgten die Königin, Prinzen und Prinzessinnen, Hofdamen und Kammerherren und sämtliche zweihundert Kammerdiener. Nur der Gelbfrack und der Grünfrack blieben zurück.
„Dürfen wir jetzt nach Hause?“ fragte Annette.
„Aber selbstverständlich“, sagte der Grünfrack.

„Komm, Bujabu!" rief Christoph sofort.
„Bujabu kann nicht mitkommen", sagte der Gelbfrack. „Der Königliche Haupthammel gehört zum Hofstaat. Auch der Königliche Oberhahn und die Königliche Oberente. Sie werden ein prächtiges Zuhause hier haben. Seht es euch nur gleich an!"
Alle stiegen nun noch einmal in die Kutschen und fuhren in den Königlichen Tierpark. Dort war ein hübsches Gehege errichtet – mit vergoldeten Stäben. Mitten im Gehege war ein Teich für Nannanna. Für Bujabu gab es eine saftige Wiese und für Kokliko den herrlichsten Misthaufen der Welt. Und alle drei waren sehr zufrieden.
„Hier haben sie es besser als auf unserm Hof", gab der Vater zu. – „Wenn das so ist –!" sagten Christoph und Annette.
„Und ihr dürft sie besuchen, sooft ihr wollt", erklärte der Gelbfrack. „Ihr allein dürft sogar in das goldene Gehege."
Da fuhren Annette und Christoph und der Vater beruhigt nach Hause. Vor dem Gehege wurden Wachtposten aufgestellt, genau wie vor dem Schloß. Und Tag für Tag kamen viele Leute, um die kühnen Abenteurer zu bestaunen, die als erste durch die Luft gereist waren. Und wenn genügend Leute da waren, stieg der Hahn auf den Misthaufen und krähte laut: „Hier bin ich, hier!"
Die Ente watschelte zu ihrem Teich und schnatterte: „Nannanna, nannanna!"
Dem Hammel aber war es gleichgültig, wo er war. Hauptsache, er hatte genug zu fressen.
Alle drei lebten in Saus und Braus –
eins zwei drei, die Geschichte ist aus . . .
aber nein doch! Da kommt noch etwas.

Eines Abends nämlich, als im Tierpark kein Besucher mehr war, kam ein Mann und betrachtete das goldene Gehege.
„Hallo, Kokliko! Hallo, Nannanna! Hallo, Bujabu!" sagte er vergnügt.
Die drei aber hörten nicht auf ihn. Zu viele waren tagsüber dagewesen. Nach einer Weile ging der Mann wieder.
Später sagte der Hahn: „Der kam mir bekannt vor. Hat der nicht damals die Gondeltür aufgemacht?"
„Kann schon sein", brummte der Hammel.
Natürlich war es der Mann gewesen, der sich den Luftballon ausgedacht hatte. Und wer neugierig ist und wissen möchte, wie dieser Mann heißt, der soll in der Schule nach ihm fragen oder zu Hause. Der Name ist in

jedem Lexikon zu finden. Er hat elf Buchstaben und fängt mit einem M an, dann kommt ein o und dann ein n und dann ein t und dann ein g und dann ein o und dann ein l und dann ein f und dann ein i und dann ein e – mehr wird nicht verraten.

Dampfwalzenschnack

Als der Fahrer um fünfe
die Walze verkohlt:
„Heut hast du mal wieder
alle überholt!"
da trumpft die Dampfwalze auf:
„Mehr als sieben
Schnecken sind
auf der Strecke geblieben."

„Weltrekord!"
sagt der Fahrer sofort.

Was der Bagger sich wünscht

Mit nichts in den Zähnen
so lange gähnen,
bis ein Vogel sich traut
und sein Nest in mir baut.

Max, der grünrote Riesenkran

Max, der grünrote Riesenkran, ist so groß, daß sein Arm die Wolken streift, wenn er ihn hebt. Und er ist schön: rot und grün angemalt.
„Hallo, Max!" sagt der Kranführer jeden Morgen, wenn er auf die Baustelle zur Arbeit kommt. Dann strahlt Max, wenn die Sonne scheint; und wenn es regnet, dann glänzt er. Auf alle Fälle freut er sich.
Er hebt Steine und Mörtel, Beton und Dachbalken, Eisenträger und Türrahmen an den Platz, an dem Mörtel und Steine, Beton und Dachbalken, Eisenträger und Türrahmen gebraucht werden. Für Max, den grünroten Riesenkran, ist nichts zu schwer. In seinem Kranführerhäuschen droben dachte der Kranführer oft: Auf Max kann ich mich verlassen.
Einmal lobte er ihn laut — vor allen Leuten. Da sah der Kran noch größer als sonst aus. Und tags darauf, Punkt sieben Uhr früh, als der Kranführer kam, sagte der Kran: „Hallo, Kranführer!" Und er nahm den Kranführer mit seiner Riesenhand und hob ihn hinauf in das Kranführerhäuschen.
Der Kranführer lachte über das ganze Gesicht und sagte zum Kran: „Wunderbar! Warum machst du das denn nicht schon lange?"
Da sagte der grünrote Riesenkran: „Tja, weißt du, nicht immer geht's so, wie man will — so was läßt sich nur machen am ersten April."

BETRETEN
DER
BAUSTELLE
VERBOTEN

Der Piepmatz

Einundzwanzig kamen in die erste Klasse. Walter war der Kleinste. Herr Korn, der Lehrer, fragte jeden nach seinem Namen. Da ging es nur so los: Dietmar, Felix, Heinrich, Max, Gerhard, Heinrich, Oskar, Ralph, Otto, Helmut, Werner, Fritz, Robert, Thomas, Stefan, Lutz, Christian, Albert, Otto, Franz.

Zwanzig sagten ihren Namen – alle bis auf den Kleinsten. Walter sagte nichts.

„Und wie heißt du?" fragte Herr Korn noch einmal.

Walter sagte nichts.

„Alle haben ihren Namen gesagt", sagte Herr Korn. „Wenn du sagst, wie du heißt, bekommst du ein Stück Keks."

Walter sagte nichts.

Da sagte der Lehrer: „Ich heiße Korn. Und wie heißt du?"

Walter blieb stumm.

Herr Korn blinzelte ihm zu. „Ich weiß ja, wie du heißt – aber die andern möchten es auch gerne wissen. Das stimmt doch?"

„Ja!“ riefen alle zwanzig.
Der kleine Walter aber sagte noch nichts.
„Soll ich sagen, wie du heißt?“ fragte Herr Korn. Und als Walter so tat, als habe er nichts gehört, sagte Herr Korn im Spaß: „Du heißt – Spatz.“
Alle mußten lachen, aber Walter sagte nichts.
„Einen einzigen Piep könntest du doch tun!“ sagte Herr Korn.
Und da war wirklich ein Piep zu hören. Und dann noch ein Piep. Alle schauten zum Fenster hin, das offen war. Auf dem Fensterbrett saß ein kleiner Vogel. Der verbeugte sich, sagte noch einmal piep!, streckte seine Brust heraus und flog davon. „Hast du das gehört!“ sagte Herr Korn zum kleinen Walter, „kommt da sogar der kleine Piepmatz angeflogen und sagt, wie er heißt – und du willst es mir noch immer nicht sagen?“
„Walter“, sagte endlich der kleine Walter.
Und Herr Korn setzte ihn in die erste Reihe.

Wer ist das?

Manchmal ist er zu sehen und manchmal nicht.
Manchmal ist er dick und manchmal dünn.
Wenn er dünn ist, ist er lang. Wenn er dick ist, ist er kurz.
Manchmal ist er auf dem Boden und manchmal an der Wand.
Weißt du schon, wer das ist?
Wenn die Sonne scheint, freut er sich.
Wenn es regnet, hält er sich versteckt.
Er mag es nicht, wenn der Himmel grau ist.
Den Mond hat er gern, wenn er wie ein Kürbis aussieht.
Am meisten aber liebt er die Sonne.
Weißt du noch nicht, wer das ist?
Er ist ein Faxenmacher, der alles nachmacht.
Du hebst den Arm, er hebt den Arm.
Du hüpfst auf einem Bein, er hüpft auf einem Bein.
Du rennst, er rennt.

Du bleibst stehn, er bleibt stehn.
Du stellst dich auf den Kopf, er stellt sich auf den Kopf.
Du schlägst einen Purzelbaum, er schlägt einen Purzelbaum.
Im gleichen Augenblick macht er alles, was du machst.
Und das ist kein Wunder, denn er ist dein . . .?

Der Kopfverdreher

Was ist das für ein Tropf:
Verdreht mir meinen Kopf!
Schau ich aus ihm hervor,
ist links mein rechtes Ohr.
Zum Glück bleibt oben oben,
und das kann ich nur loben –
sonst müßt ich mit den Füßen
statt mit der Mütze grüßen.

Eine Lok stellt sich vor

Bin schwarz wie Kohle und ziemlich klein,
aber fünf, sechs Personen zieh ich allein.
Ich ziehe sie ohne Wagen weiter
und brauche keinen Zugbegleiter.

Und Schienen? Keine.
Weichen? Keine.
Bahnhöfe? Keine.
Nötig ist nur eine Leine
und ein Hase
vor der Nase.

Nun aber Schluß mit dem langen Gefackel –
ich bin ein Dackel.

Die Stachelschweinschlacht

Achtzehntausend Stachelschweine
lieferten sich eine Schlacht –
und wie haben sie das gemacht?
Hier neuntausend Stachelschweine,
dort neuntausend Stachelschweine.
Sie reckten die Stacheln wild in die Höhe,
da hüpften Millionen Stachelschweinflöhe.
Weil keins vom andern Flöh wollt bekommen,
hab'n alle zusammen Reißaus genommen.

Das war die Schlacht der Stachelschweine –
Sieger? Keine!

Lesestunde

Ein Hund, ein Schwein, ein Huhn, ein Hahn,
ein Specht, der grade zu Besuch,
die fanden hinterm Haus ein Buch –
was haben da die fünf getan?
Sie riefen alle laut: „Mal sehn,
was mag auf Seite eins wohl stehn?"

„Oi oi oi oi", so las das Schwein.
Da sprach der Hund: „Das kann nicht sein.
Da steht wau wau wau wau wau wau."
Der Specht rief gleich: „Ich seh's genau,
da steht tak tak tak tak tak tak."
Das Huhn las eifrig: „Gack gack gack."
Hell schrie der Hahn: „Das stimmt doch nie,
da steht kikerikikriki!"

Die Eule hörte das Geschrei
im Tagversteck und flog herbei.
Nun sprach der Hahn mit wilden Augen:
„Das dumme Buch kann nicht viel taugen,
denn jedem lügt's was andres vor."
Die Eule hielt es an ihr Ohr:
„Mir sagt das Buch, es läg daran,
daß keiner von euch lesen kann."

Kasperle und die Wunschfeder

Am rechten Rand der Bühne ist
ein Zifferblatt mit zwei Zeigern zu sehen.

Kasperle: *(kommt von links mit einem Kissen, legt sich hin, räkelt sich)* Schrecklich, wenn man überhaupt nicht ausgeschlafen hat, und die Großmutter jagt einen aus dem Bett – schon vor halb acht.

Die Uhr: Stimmt ja gar nicht. Schon fünf Minuten vor zwölf.

Kasperle: *(reibt sich die Augen)* Hast du was gesagt?

Die Uhr: Ganz richtig.

Kasperle: Schon fast zwölf Uhr? Gehst du denn richtig?

Die Uhr: Ganz richtig.

Kasperle: Gleich zwölf – so spät kann es noch nicht sein, höchstens doppelt so spät.

Die Uhr: Jetzt schlägt's aber dreizehn!

Kasperle: Und alle Elfe dazu! Wieviel ist es dann? – Kinder, helft ihr doch mal drauf: Wieviel ist dreizehn und elf?

Kinder: Vierundzwanzig!

Kasperle: *(zur Uhr)* Geht dir jetzt ein Licht auf, du richtige Uhr?

Die Uhr: Ach so, du meinst, es wäre jetzt zwölf Uhr nachts?

Kasperle: Natürlich. Da kann ich mich ja noch aufs Ohr legen. *(Er will weg.)*

Die Uhr: Kasperle! Ist's um zwölf Uhr nachts dunkel oder hell auf der Welt?

Kasperle: Dunkel natürlich, denkst du, das weiß ich nicht?

Die Uhr: Und ist es jetzt dunkel oder hell auf der Welt?

Kasperle: Hell natürlich. Denkst du, das seh' ich nicht?

Die Uhr: Also ist es jetzt... Moment, paß gut auf! *(Es schlägt zwölfmal.)*

Kasperle: *(zählt laut mit)* Eins, zwei, drei, vier, fünf, sechs, sieben, acht, neun, zehn, elf, zwölf – Punkt zwölf Uhr.

Die Uhr: Mittag! Du siehst es an den zwei Zeigern.

Kasperle: Es ist also immer genauso viel, wie die Zeiger zeigen?

Die Uhr: Ganz richtig.

Kasperle: Da bin ich aber froh!

Die Uhr: Warum denn auf einmal?

Kasperle: Paß mal gut auf!
(Er dreht die Zeiger zurück, daß sie auf sechs Uhr stehen.)
So! Jetzt ist's genau sechs Uhr früh, und ich lauf zur Großmutter und sag ihr, daß es noch viel zu früh zum Aufstehen ist.
(Will weg)

Die Uhr: Kasperle! – Paß mal gut auf!
(Die Zeiger drehen sich von selbst, bis es wieder zwölf Uhr ist.)
Siehst du, die Zeit läßt sich nicht zurückdrehen.

Kasperle: Das ist aber traurig. Dann kann ich heute nicht mehr mit meinem Schiff zur Ananas-Insel und ins Eskimoland fahren, wo es Ananas umsonst gibt und Eiskrem Marke Nordpol.

Die Uhr: Aber du hast doch gar kein Schiff.

Kasperle: Doch! Soll ich es dir ins Ohr sagen? Wo ist dein Ohr, bitte?

Die Uhr: Sag mir's ins Schlüsselloch, wo man mich aufzieht!

Kasperle: *(flüstert der Uhr etwas zu)*

Die Uhr: Was, dein Bett soll ein Schiff sein? Da steht doch so fest wie ein Tisch!

Kasperle: Wenn ich die Augen zu habe, dann kann ich mit ihm überall hinfahren. Drum steh ich ja so ungern auf. Heute früh, grade als es mit mir zur Ananas-Insel und ins Eskimoland fahren wollte, kam die Großmutter dazwischen.

Die Uhr: War ja auch höchste Zeit zum Aufstehen.

Kasperle: Aber heute ist doch mein erster Ferientag.

Die Uhr: In den Ferien gibt es so viel Nützliches zu tun.

Kasperle: O weh!

Die Uhr: Zum Beispiel das Zimmer aufräumen.

Kasperle: O weh!

Die Uhr: Oder Kartoffeln für die Großmutter holen.

Kasperle: Nein, du gefällst mir nicht, ich trag dich jetzt ganz einfach ins andere Zimmer!
(Ab mit der Uhr, kommt wieder.)
Da gefällt mir eine Ananas schon viel besser. Euch auch, Kinder?

Kinder: Ja.

Kasperle: Oder eine Portion Eiskrem, Marke Nordpol?

Kinder: Ja.

Kasperle: Wißt ihr vielleicht, wie man zu einer Ananas kommt, die nichts kostet?

Kinder: Nein.

Kasperle: Oder zu einer kostenlosen Portion Eiskrem?

Kinder: Nein.

Kasperle: Wie schade!
(Er setzt sich in die linke Ecke.)
Wenn ich nicht im Bett bleiben darf, kann ich ja auch hier von der Ananas-Insel träumen ...
(Sein Kopf sinkt auf die Brust. Da kommt eine weiße Feder angehüpft, die an einem Draht geführt wird, wie später der Briefbogen und die Ananas; die Feder kitzelt Kasperle in der Nase.)
Hatschi! — Wer hat mich denn da in der Nase gekitzelt?

Die Feder: Ich.

Kasperle: Wer ist der Ich?

Die Feder: Ich bin der Ich.

Kasperle: Wo ist der Ich bin der Ich?

Die Feder: Hier ist der Ich bin der Ich.
(Die weiße Feder tanzt vor Kasperles Nase.)
Ich bin eine Wunschfeder. Zu wem ich komme, der darf sich was wünschen.

Kasperle: Wie schön! Du kannst ja tanzen!

Die Feder: Ich kann hüpfen, tanzen, fliegen, ruhig in der Ecke liegen, kann dich in der Nase kitzeln und sogar noch Briefe kritzeln —

Kasperle: Aber ich hab ja gar kein Briefpapier.

Die Feder: Weh nur, Wind, weh nur, Wind — Briefpapier, komm her geschwind.
(Ein Bogen Briefpapier kommt herbeigeschwebt.)
An wen soll ich schreiben?

Kasperle: Vielleicht an die Ananas-Insel, damit sie eine Ananas schickt!

Die Feder: Und was soll ich schreiben?

Kasperle: Liebe Ananas-Insel!
(Die Feder tanzt auf dem Briefbogen.)
Schick mir bitte eine große schöne Ananas! Besten Dank und viele Grüße. Dein Kasperle.

Die Feder: Fertig?
(Kasperle nickt begeistert.)
Ich schick den Brief als Blitzbrief, das geht schneller als ein Telegramm.

Kasperle: Und die Ananas?

Die Feder: Kommt ebenfalls mit der Blitzpost. Aber nur, wenn du die Augen zumachst.

Kasperle: Ich hab sie schon zu.
(Er legt den Kopf auf die Spielleiste.)

Die Feder: Und du darfst sie erst dann aufmachen, wenn ich es sage. Keinen Augenblick früher!

Kasperle: Aber dann seh ich die Ananas ja gar nicht.

Die Feder: Du wirst sie sehen. Da kommt sie schon. Siehst du sie?
(Eine Ananas kommt geschwebt.)

Kasperle: Eine wunderbare Ananas? Gehört sie mir?

Die Feder: Dir ganz allein.

Kasperle: Da will ich mir gleich ein Stück abschneiden!

Die Feder: Noch nicht, Kasperle. Laß die Augen fest zu!

Kasperle: Ich halte es aber nicht länger aus!
(Er springt auf und will die Ananas fangen, aber sie schwebt vor ihm davon.)
Ooooh –!

Die Feder: Warum hast du die Augen aufgemacht?

Kasperle: Die schöne Ananas!

Die Feder: Wir können ja noch einen Blitzbrief schreiben. Wie wär's mit einer Portion Eiskrem Marke Nordpol?

Kasperle: O ja, bitte!

Die Feder: Weh nur, weh nur, Wind –
Briefpapier komm her geschwind.
(Wieder kommt ein Bogen Briefpapier angesegelt.)
Diktier nur den Brief!

Kasperle: Liebes Eskimoland!
(Feder schreibt.)
Bitte schicke mir sofort eine Portion Eiskrem Marke Nordpol! Besten Dank und viele Grüße. Dein Kasperle.

Die Feder: Ab ins Eskimoland!
(Brief schwebt davon.)

Kasperle: Diesmal laß ich die Augen ganz fest zu.

Die Feder: Dann darfst du so oft schlecken, wie du willst.

Kasperle: Fein!

Die Feder: Wenn es sehr gut schmeckt, darf dann die Großmutter auch schlecken?

Kasperle: Aber nur einmal.

Die Feder: Dreimal!

Kasperle: Zweimal.

Die Feder: Na gut, zweimal. Hast du die Augen zu, daß du gar nichts siehst?

Kasperle: *(Kopf tief unten)* Überhaupt nichts.

Die Feder: Oh, was kommt denn da? Eine Riesenportion Eiskrem! Schau doch, Kasperle! Diesmal darfst du die Augen gleich aufmachen.
(Feder schwebt davon.)

Kasperle: Lieber nicht, sonst fliegt mir das Eis vor der Nase weg. – Was für eine wunderbare Eisportion! Bestimmt Marke Nordpol! Direkt aus dem Eskimoland!

Großmutter: *(ist inzwischen mit einer Portion Eis gekommen, sie schüttelt den Kopf; zu den Kindern)* Kasperle kann doch gar nicht wissen, daß ich ihm Eis bringen will – weil erster Ferientag ist. *(Sie hält Kasperle das Eis unter die Nase.)*

Kasperle: Nur nicht die Augen aufmachen! Sonst verschwindet das Eis genauso wie die Ananas!

Großmutter: Das Eis kann nicht weg, ich halt es fest!

Kasperle: Dann kann ich ja die Augen aufmachen. *(Er tut es und nimmt das Eis.)* Hab ich nicht ein wunderbares Eis!?

Großmutter: Woher hast du das Eis denn, Kasperle?

Kasperle: Ja weißt du, die Wunschfeder hat ins Eskimoland einen Blitzbrief geschrieben, und da ist eine Portion Eiskrem mit der Blitzpost gekommen.

Großmutter: Na so was! Und ich wollte dich gerade zu Eiskrem einladen.

Kasperle: Jetzt lade eben ich dich ein! Jeder von uns darf gleich oft schlecken. Wollt ihr auch schlecken, Kinder?

Kinder: Ja.

Kasperle: Für so viele reicht's aber nicht.
(Vorhang rasch zu, Kasperle kommt noch einmal zum Vorschein.)
Euch lad ich das nächstemal ein.
(Verschwindet, kommt ein letztes Mal.)
Ganz bestimmt! Wißt ihr, wann?

Kinder: Nein.

Kasperle: Überüberübermorgen! Ist das zu spät?

Kinder: Ja.

Kasperle: Dann lieber vorvorvorgestern! Ist euch das recht?

Kinder: Nein.

Kasperle: Na, euch kann's aber keiner recht machen. Auf Wiedersehn, Kinder!

Julius, der findige Spatz

War da ein Spatz namens Julius,
der hatte mit Katzen viel Spatzenverdruß.

Saß er im Baum auf einem Ast,
kam schon die Katz und hatt' ihn – fast.

Saß er in seinem Nest unterm Dach,
schlich ihm die Schleichkatze nach.

Julius wurde das zu dumm,
er sah nach einem Platz sich um,

an dem er konnte sicher sein
vor allen Katzenschleicherein.

Auf dem Stadtwall ragte empor
ein sehr altes Kanonenrohr.

Keine Kanonenkugel war drin,
sprach da der Spatz: „Wie glücklich ich bin!"

Und er baute im Rohr ein Nest,
Tags drauf gab er ein Spatzenfest,

wobei er eine Rede schwang:
„Spatzenbrüder, seid nicht mehr bang!

Ist die Katze hinter euch drein –
rasch ins Kanonenrohr hinein!

Drinnen seid ihr in sicherer Hut –
witwit, Kanonen sind doch zu was gut!

Allerdings nur, wenn sie nicht mehr schießen,
nicht mehr schießen –

damit will ich meine Rede beschließen,
Rede beschließen."

So sprach der Spatz namens Julius,
der keine Katzen mehr fürchten muß.

Das Riesenrhinozeros Won

„Ich laufe vor nichts davon",
sagt das Riesenrhinozeros Won
und bleibt auf demselben Fleck.

Man schickt ihm drei Elefanten –
es fragt: „Gibt's noch mehr solche Tanten?"
und bleibt auf demselben Fleck.

Sechs Löwen, sechs Tiger werden geschickt –
es hat nur einmal kurz hingeblickt
und bleibt auf demselben Fleck.

Mit viel Gerumpel kommt eine Kanone –
es sagt: „So ein Fernrohr ist gar nicht ohne!"
und bleibt auf demselben Fleck.

Die Feuerwehr kommt angefegt –
es hat nicht einmal ein Ohr bewegt
und bleibt auf demselben Fleck.

Man bringt einen Käfig, sehr groß –
es sagt: „Da lach ich doch bloß!"
und bleibt auf demselben Fleck.

Ein Flugzeug ist über den Platz gebrummt –
es sagt: „Mir scheint, eine Mücke summt!"
und bleibt auf demselben Fleck.

Drei Blitze fallen, drei Donner grollen –
es schüttelt den Kopf: „Was die nur wollen!"
und bleibt auf demselben Fleck.

Da hat sogar die Erde gebebt —
das Riesenrhinozeros sagt: „Na, man lebt!"
und bleibt auf demselben Fleck.

Am Ende kam ein sehr kluger Mann
mit einem sehr großen Spiegel an —
es bleibt auf demselben Fleck.

Der Mann aber hielt dem Rhinozeros Won
den Spiegel vor — da ist's auf und davon,
nur weg! nur weg! nur weg! nur weg!!

Jetzt ist es bestimmt hinterm Kongo schon —
und noch immer läuft's vor sich selber davon,
das Riesenrhinozeros Won.

Die Räuber und der Schleiferfranz

Der Räuber Hutz, der Räuber Hitz
gerieten in grimmigen Streit,
und jeder grollte und zog einen Blitz:
ein Messer lang und breit.

Sprach Hitz: „Auf Leben und auf Tod!"
Da sagte Räuber Hutz:
„Den Messern tut erst Schleifen not,
sonst sind sie zu nichts nutz."

Da kam der Schleiferfranz zum Glück
des Weges grad daher.
Er sprach: „Das gibt mein Meisterstück,
bei meiner Meisterehr!"

Sprach Räuber Hutz: „Schleif meins ja gut!"
Sprach Hitz: „Und meines auch –
wir nämlich hassen uns aufs Blut,
wie's rechter Räuberbrauch."

„Wenn das so ist", sprach Franz nun laut,
„schleif ich wie nie zuvor.
Nur braucht das Zeit, am besten haut
ihr beiden euch aufs Ohr."

Sie fielen um und schliefen schon.
Im Schlafe hörten sie
den schönen hellen Schleifeton,
und Franz schliff wie noch nie.

Er schliff und schliff und schliff und schliff
die Messer eins und zwei,
und als er fertig war, da pfiff
die Räuber er herbei.

Sie kamen gleich: „Mein Messer her!"
Der Schleiferfranz, der gab
die Messer hin und grinste sehr:
„Das ist's, was ich noch hab."

Da fuhr durch beide, Hutz und Hitz
ein riesengroßer Schreck.
Und jeder sprach: „Mach keinen Witz –
die Klingen sind ja weg."

„Na freilich", sprach der Franz da froh,
„ich schliff und schliff und schliff,
ich machte meine Arbeit so
wie nie: bis auf den Griff."

Die Räuber schrien: „Du Bösewicht,
so haben wir nicht gewettet!"
Franz lachte: „Ihr Räuber, hab ich denn nicht
euch beiden das Leben gerettet?"

Da sahen ihn die Räuber an,
ein Räuber sah an den andern,
drauf sah man die drei, den Franz voran,
ins nächste Wirtshaus wandern.

Zur Gesundheit!

Ein Mann hatte eine Frau und sieben Kinder. Wenn er niesen mußte, sagten alle: „Zur Gesundheit, Vater!" Das wurde ihm auf die Dauer langweilig. Er sagte: „Statt mir Gesundheit zu wünschen, klatscht ihr in Zukunft in die Hände!" Da sie alle gut erzogen waren, klatschten sie alle in die Hände, wenn der Vater niesen mußte.

Einmal war im Brunnen etwas nicht in Ordnung. Die Frau und die sieben Kinder hielten das Seil, an dem sich der Vater in den Brunnen hinabließ.

Plötzlich mußte er niesen. Alle Kinder und die Frau klatschten in die Hände. – Es tat einen Plumps, und der Vater lag im Wasser. Zum Glück war ein zweites Seil gleich zur Hand, und der Vater wurde aus dem Brunnen gezogen. Aber weil er sich drunten erkältet hatte, mußte er so oft niesen wie nie zuvor. Doch nun durften alle wieder „Zur Gesundheit!" sagen und brauchten nicht mehr in die Hände zu klatschen.

Spatzen aus China

Ein Minister wollte sich bei seinem König einschmeicheln. Irgend jemand hatte ihm weisgemacht, Spatzen aus China wären etwas Besonderes. Der Minister bestellte drei chinesische Spatzen, natürlich in einem goldenen Käfig. Da starb ein Spatz auf der weiten Reise. In seiner Verlegenheit setzte der Minister einen heimischen Spatzen an dessen Stelle.

Der König hatte aber von dem Spatzentausch erfahren, und als der Minister ihm den Käfig überreichte, musterte der König die Spatzen genau.

„Da ist ein hiesiger Spatz dabei!" bemerkte er streng.

Einen Augenblick war der Minister starr. Dann stotterte er: „Das, das ist der Dolmetscher."

„Alle Achtung!" sagte der König, „also doch ein besonderer Spatz!"

Der Brunnenlöwe

Der Löwe hatte den Fuchs in seine Dienste genommen. Von der Beute gab er ihm aber nur sehr wenig ab. Wenn der Löwe ein Tier erlegt hatte, mußte der Fuchs den Magen zum Brunnen bringen und sauber waschen. Vom Magen selbst bekam er nichts.
Eines Tages fraß der Fuchs eine Magenhälfte und brachte nur den Rest zum Löwen zurück.
„Wo ist die zweite Hälfte?" brüllte der Löwe.
„Die hat der Brunnenlöwe gefressen", sagte der Fuchs. „Der will nun immer eine Hälfte haben."
„Was ist das für ein Löwe?"
„Er wohnt im Brunnen – wie du in deiner Höhle!"
Da lief der Löwe sofort zum Brunnen und blickte hinein. Wirklich – ein Löwe sah ihm entgegen!
„Ich bin hier der Herr!" brüllte der Löwe und sprang auf den Löwen im Brunnen los.
Und aus war's mit beiden.

Äsop auf der Werft

Äsop, der Fabelerzähler, ging eines Tages auf eine Schiffswerft. Die Schiffbauer verspotteten ihn: „Deine Fabeln sind unnützes Zeug – unsere Schiffe dagegen! Mit ihnen kann man die Meere befahren."
Da sagte Äsop: „Wartet nur, wie es beim nächsten Mal sein wird!"
„Was soll das heißen?" fragten die Schiffbauer.
„Ihr wißt doch", sagte Äsop, „wie das mit der Welt war. Im Anfang war alles von Wasser bedeckt. Da gab der Weltschöpfer der Erde den Befehl, dreimal Wasser in sich hineinzuschlürfen. Und die Erde schlürfte einmal – die Gebirge tauchten auf. Die Erde schlürfte zweimal – das ebene Land kam zum Vorschein. Beim dritten Mal werden die Meere austrocknen!"
„Und wann wird das sein?" fragten die Schiffbauer erschrocken.
„Vielleicht schon morgen", sagte Äsop.

Das schönste Kind in der Schule

In die Vogelschule gingen alle Vogelkinder, auch das Eulenkind und das Rebhuhn-Kind. Und alle bekamen ihr Pausenbrot mit. Einmal ließ das Eulenkind sein Butterbrot zu Hause. Zum Glück bemerkte es die Eulenmutter gleich.
Genauso erging es dem Rebhuhnkind und der Rebhuhnmutter.
Die beiden Mütter wollten ihren Kindern das Pausenbrot bringen und trafen sich unterwegs.
„Dabei habe ich heute überhaupt keine Zeit!" klagte das Rebhuhn.
Da sagte die Eule: „Ich könnte ja beide Pausenbrote mitnehmen, aber woran werde ich dein Kind erkennen?"
„Das ist ganz einfach", sagte das Rebhuhn, „mein Kind ist das schönste Kind in der Schule!"
Die Eule nahm beide Pausenbrote und ging zur Schule. Aber das Kind des Rebhuhns fand sie nicht aus den anderen Kindern heraus.

Und sie kam zum Rebhuhn zurück – mit dem Pausenbrot.
„Du kannst mir glauben", sagte die Eule zum Rebhuhn, „alle Kinder habe ich mir genau angesehen – aber kein Kind in der ganzen Schule war so schön wie das meine!"

Das Blitzchen

Peter und Fritz waren gute Freunde. Nur eines störte Peter an seinem Freund: Fritz sagte nicht Huhn, sondern Huhnchen, und er sagte Affchen und Elefantchen.
Als die beiden einmal unterwegs waren, wurden sie von einem Gewitter überrascht. Sie stellten sich bei einer Scheune unter. Da schlug ein Blitz ein. Peter und Fritz kamen mit dem Schrecken davon. Die Scheune aber ging in Flammen auf.
Fritz zitterte und brachte kein Wort heraus. Da sagte Peter: „Donnerwetterchen, Fritzchen, war das ein Blitzchen!"
Von dem Tag an sagte Fritz nicht mehr Huhnchen und Affchen, sondern Huhn und Affe und Elefant.

Wie die Ziege heißt

Ein Wolf erwischte eine Ziege beim Grasen. „Laß mich laufen", sagte die Ziege, „dann besorge ich dir ein fettes Schaf. Komm morgen zum Stall!"
„Schön, ich lasse dich laufen", antwortete der Wolf. „Nur mußt du mir erst deinen Namen nennen."

„Du wirst dich wundern", sagte die Ziege. „Ich heiße nämlich ‚Der-Wolf-ist-tüchtig' – ja, so heiße ich."
Da fühlte sich der Wolf geschmeichelt und ließ die Ziege laufen.
Am nächsten Morgen kam er zum Stall. „Nun gib mir das fette Schaf heraus", sagte er zur Ziege. Die aber hörte nicht auf ihn. Da fragte der Wolf: „Du bist doch die Ziege ‚Der-Wolf-ist-tüchtig' – so ist doch dein Name?"
„So hieß ich gestern", sagte die Ziege. „Heute heiße ich ‚Der-Wolf-ist-dumm' – ja, so heiße ich heute."
Und der Wolf bekam weder Ziege noch Schaf.

Nicht jeder ist ein Held

Ein Zirkusdirektor sagte zu einem Mann: „Du kannst dir allerhand Geld verdienen. Mir fehlt ein Löwe. Von meinem zweiten Löwen habe ich nur noch das Fell. Du schlüpfst in das Löwenfell und tust, was ich sage."
„Wenn das so einfach ist!" sagte der Mann und trat am Abend als Löwe auf. Er machte alles, was der Direktor von ihm verlangte: Er spazierte auf den

Hinterbeinen, kratzte sich hinterm Ohr, schlug auf eine Pauke und machte sogar Kopfstand. Die Leute staunten.
Da kam der zweite Löwe herein – in wilden Sprüngen!
Der erste Löwe schrie: „Bitte, Löwe, tu mir nichts!"
„Keine Angst", rief der zweite Löwe, „wenn nur du mir nichts tust!"
Der Direktor knallte dreimal mit der Peitsche, verneigte sich vor dem Publikum und rief: „Meine sehr verehrten Damen und Herrn! Wo gibt es das noch – sprechende Löwen?"

Träumkatze

Käthe, die Katze, war alt. Zähne hatte sie nur noch vier, und alle vier waren Wackelzähne. Ihre Krallen hatte sie alle noch – aber das waren Streichelkrallen und keine Kratzekrallen. Das freute die Mäuse! Käthe, die alte Katze, konnte auch nicht mehr weit springen und nicht mehr schnell laufen. Und beim Mäuseauflauern in der Scheune schlief sie ein. Dann tanzten die Mäuse vor ihrer Nase herum: eins zwei drei vier fünf sechs sieben acht neun zehn elf zwölf Mäuse – ein ganzes Dutzend.

„Alt ist sie!" piepste die Maus Nummer eins.

„Viel schläft sie!" piepste die Maus Nummer zwei.

„Nichts mehr mit Springen!" die Maus Nummer drei.

„Nichts mehr mit Fangen!" die Maus Nummer vier.

„Schlafkatze!" piepste die Maus Nummer fünf.

„Träumkatze!" piepste die Maus Nummer sechs.

„Schlaf gut! Träum schön!" piepsten alle zwölf Mäuse.

Und da träumte Käthe, die alte Katze, einen wunderschönen Traum. Im Traum war sie eine junge Katze und hatte Kratzekrallen und Zähne, gefährlich wie Messerspitzen. Im Traum schlief sie in der Scheune, und zwölf Mäuse tanzten vor ihrer Nase herum – ein ganzes Dutzend. Und da tat sie mitten im Traum einen Sprung – und war plötzlich wach. Nach allen Seiten sausten die Mäuse davon: eins zwei drei vier fünf sechs sieben acht neun zehn elf Mäuse.

Aber warum nur elf?

Weil Käthe, die alte Katze, beim Sprung im Traum die Maus Nummer zwölf erwischt hatte.

Guten Appetit!

Warum die Sonne nicht heiraten darf

Eines Tages wollte die Sonne heiraten. Da erhoben alle Bäume großes Geschrei, alle Sträucher und Gräser und alle Blumen, die Flüsse und Seen.
„Das darf nicht geschehen", sagten sie zum Weltenschöpfer.
„Schon die eine Sonne versengt uns oft", klagten die Gräser.
„Schon die eine Sonne trocknet uns oft aus", klagten die Flüsse. „Wie wird das erst sein, wenn sie Kinder bekommt!"
„Ihr habt recht", erklärte der Weltenschöpfer, und er verbot der Sonne zu heiraten.

Das Everl und der Aff

Wia de Gschicht mit'm Everl und dem Affn is passiert,
hat im Baiernland a Herzog regiert.
Er hat Ludwig ghoaßn und Ludwig sei Bua,
und der Aff hoaßt grad Aff. Paßts auf, gebts a Ruah!

Gschehgn is de Gschicht z'Minka. Es allzsamm kennts
ja den Altn Hof bei der Residenz.
Der Herzog, d' Herzogin und 's Herzogkind
ham da gwohnt, aa der Aff und dazua no des Gsind:
Der Hofkaplan und der Hofnachtwächter,
der Herr Minister, sellmals gar koa schlechter,
der herzogliche Oberhofbäcker,
de Hofdamen und der Hofdachdecker,
der Hofkutschenputzer,
der Hofheckenstutzer,
der Hauptmann von der Hoffeuerwehr,
der Hofzeremonienmeister, halt wer
zum Hof no dazuaghört, ja wer denn no?
's Everl vom Koch – iatz hamma's na scho.

Des allerwichtigste aber von alln
is das Büaberl gwesen. An jedn hat's gfalln.
Der Herzog, der bildt se was ein auf dessell,
weil's den Herzoghuat tragn werd an seiner Stell,
und wer woaß, leicht kaannt's a Kaiser gar wern!
Sei Vater, der Herzog moant: Taat se scho ghörn.
Und 's Everl und d' Kinderfrau, de zwoa ham guat
aufpaßt auf's Büaberl, daß eahm neamd was tuat.
's is ja no kloa, in der Wiagn is 's no glegn.
Und grad oamal schlaft d' Kinderfrau ein – schon is 's
gschehgn.

Nämli so: Dem Affn in sein' Käfig drin
is 's langweilig wordn. Da kimmt eahm in' Sinn,
es kaannt am End net versperrt sei, des Gschloß
von dem Käfig. Er nackelt, und schon is er los.

A Dachrinna is eahm zum Naufkraxln recht,
a Fenster steht auf, und scho hat er 's daspecht,
das Büaberl. Es lacht. Und da hat er se traut,
steigt ein, nimmt 's Büaberl — das Everl schreit laut,
de Kinderfrau fallt glei vom Stuhl und werd wach,
und der Aff mit dem Büaberl is schon auf 'm Dach.

's Everl sagt: „Schuld an dem bin i alloa!"
De Kinderfrau macht so a fürchterlichs Gschroa,
daß alle am Herzoghof denka: Es brennt!
Sie schaugn aus de Fenster und kemman scho grennt:
Der Hofkaplan und der Hofnachtwächter,
der Herr Minister, sellmals gar koa schlechter,
der herzogliche Oberhofbäcker,
de Hofdamen und der Hofdachdecker,
der Hofkutschenputzer,
der Hofheckenstutzer,

der Hauptmann von der Hoffeuerwehr,
der Hofzeremonienmeister – und er
verkündet dem Volk mit lauter Stimm:
„Der Aff hat das Kind!" Und alle sagn: „Schlimm!"
Der Herzog, de Herzogin kemman dazua
und jammern: „Sagts, Leutln, was soll ma da tua?"

Der Dachdecker sagt: „A Loater anlegn!"
Der Feuerwehrhauptmann is ganz dagegn.
Er moant: „Des waar für den Affn a Schreck,
der is imstand und schmeißt 's Büaberl glei weg.
Bringts Teppich und Tüacher, Plümo und Kissn,
im Fall das Büaberl runter werd gschmissn!"

Und alles rennt wia wild durchanand,
Teppich wern ausglegt und Fahnen ausgspannt,
Kleider und Decken wern aufgschicht, Plümo –
der Aff hockt am Dach drobn, als gaang's eahm nix o.
Es gfallt eahm, da hockn und 's Büaberl hebn,
auf gar koan Fall will er's wieder hergebn.

Wia d' Feuerwehr anruckt und d' Loater anlegt,
da hat se der Aff überhaupts net bewegt.
Und erst, wia zwoa zu eahm auffisteign, rennt
er davon übers Dach und versteckt sich am End
hinterm Erkertürmerl. „So kriagn ma den nia!"
sagt der Herzog, und d' Herzogin geht glei in d' Knia.

Und grad da, wia's alle zum Türmerl hinschaugn,
da sehgn s' was, und koaner traut seine Augn.
Net weit vom Erker rührt se a Fenster,
geht auf! Und mancher siehgt scho glei Gspenster.
A Köpferl kimmt aus'm viereckaten Loch,
a Dirndl, a kloans – 's Everl vom Koch.

Es fürcht se net, schiabt se gar raus a kloans Stück,
der Aff is net weit, und des is a Glück.

Der Aff schaugt, das Everl winkt eahm freundli zua
mit an' Apfel, und des bringt denselln aus der Ruah.
Er hätt'n gern ghabt, a jeder kann's sehgn.
Und weil er nix liaber als Äpfel hat mögn,
laßt er se verlocken und kimmt übers Dach
und steigt dem Everl ins Dachfenster nach.
Grad schön is's, wia oans nach dem andern verschwindt
im Dachbodn: das Everl, der Aff und das Kind.

Was weitergschicht, hat ma von druntn net gsehgn.
Aber wia s' nacha naufkemma, is's scho drin glegn
in der Wiagn, das Büaberl. 's Everl hat glacht:
„Der Aff hat's fei neiglegt, er selber hat's gmacht!
Drum hab i eahm extra zwoa Äpfel gebn."
Da schrein alle Leut: „Das Everl soll lebn!"

Der Aff, der will vor dem Wirbel davo.
Der Herzog aber, der sagt: „Do bleibst, do!
Weil du 's Büaberl net auslassn hast aus der Hand,
wirst zum Oberhofaffn von mir iatz ernannt."
Und zum Koch sagt der Herzog: „An jedn Tag
kannst eahm Äpfel gebn, soviel er grad mag.
Und dein Everl kriagt von mir bildsaubere Schuah
und a Gwand und Ringerl und Ketterl dazua."

Da ham se der Aff und das Everl groß gfreut
und der Koch und alle übrigen Leut:
Der Hofkaplan und der Hofnachtwächter,
der Herr Minister, sellmals gar koa schlechter,
der herzogliche Oberhofbäcker,
de Hofdamen und der Hofdachdecker,
der Hofkutschenputzer,

der Hofheckenstutzer,
der Hauptmann von der Hoffeuerwehr,
der Hofzeremonienmeister.
Und wer
kriagt an Rüffler? D' Kinderfrau! Na, weil sie halt
gschlafa hat, für des werd s' schließli net zahlt.
„Schaam di vorm Everl!" so sagt ihr ins Ohr
der Herzog. Sie stottert: „Kimmt nia, nia mehr vor!"

Und wer freut se am meistn? Die Muatter, ganz gwiß,
weil's Büaberl wieder im Wiagerl drin is.

Auf d'Letzt hab i no was, spitzts eure Ohrn!
Aus dem Büaberl is wirklich a Kaiser worn,
Ludwig den Baiern ham s' eahm gnennt.
Und iatz san ma-r am End.

Hans Baumann wurde am 22. April 1914 in Amberg (Oberpfalz) geboren. 1933 war er ein Jahr lang Lehrer im Bayerischen Wald. In den Jahren zwischen 1932 und 1939 entstanden zahlreiche Lieder, von denen manche zu Volksliedern wurden. Nach 1934 Studium in Berlin und Reisen in Osteuropa und Nordafrika. Einige Bühnenstücke wurden am Staatstheater in Berlin und am Burgtheater in Wien uraufgeführt. Nach Kriegsjahren in Rußland und Gefangenschaft in Frankreich schrieb Hans Baumann Kinder- und Jugendbücher, ein Theaterstück und Lyrik; dazu kamen Übersetzungen aus dem Russischen. Die Jugendbücher wurden mehrfach ausgezeichnet.
Übersetzungen erschienen in folgenden Ländern: Belgien, Dänemark, England, Finnland, Frankreich, Holland, Irland (Keltisch), Italien, Japan, Jugoslawien (Serbokroatisch und Slowenisch), Portugal, Schweden, Spanien, Südafrika (Afrikaans und Zulu), Tschechoslowakei (Tschechisch und Slowakisch), USA.

„Wer die Gelegenheit hatte, Hans Baumann zu begegnen und wer mit seinen Büchern vertraut ist, der muß bedauern, daß es bisher noch keine eingehende Studie über ihn gibt. Eine solche Monographie würde zeigen, wie bei einem Autor von Kinder- und Jugendbüchern Leben und Werk zur Einheit werden können. Dieser Mann ist zu tieferen Einsichten befähigt und durch bittere Erfahrungen gereift. Sein glücklicher Sinn für Humor und freundliche Ironie helfen ihm, die Widrigkeiten des Lebens zu meistern. Das hat sein Werk geprägt." (Richard Bamberger)

„Ein herrlicher Poet!" (Astrid Lindgren)

Kinder- und Jugendbücher von Hans Baumann

Bilderbücher:

Tina und Nina, Sigbert Mohn Verlag, Gütersloh 1963
Der große Elefant und der kleine, Annette Betz Verlag, München 1966
Der Schimmel aus dem Bild, Sigbert Mohn Verlag, Gütersloh 1967
Fenny, der Wüstenfuchs, Annette Betz Verlag, München 1968
Der wunderbare Ball Kadalupp, Annette Betz Verlag, München 1969
Igel haben Vorfahrt, Annette Betz Verlag, München 1970
Ein Brief nach Buxtehude, Annette Betz Verlag, München 1970
Die Feuerwehr hilft immer, Annette Betz Verlag, München 1970
Schorschi, der Drachentöter, Annette Betz Verlag, München 1972
Wieviel Uhr ist's anderwo? Thienemanns Verlag, Stuttgart 1972

Gedichte für Kinder:

Ein Reigen um die Welt, 274 Gedichte aus 75 Sprachen, Sigbert Mohn Verlag, Gütersloh 1965
Wer Flügel hat, kann fliegen, Ensslin & Laiblin Verlag, Reutlingen 1966
Der Kindermond, Georg Bitter Verlag, Recklinghausen 1968
Einem Tisch fällt was ein, Sigbert Mohn Verlag, Gütersloh 1968
Buchstaben zu verkaufen, Loewes Verlag, Bayreuth 1970
Das Everl und der Aff, Ehrenwirth Verlag, München 1969

Geschichten für Kinder:

Das Karussell auf dem Dach, Ensslin & Laiblin Verlag, Reutlingen 1953
Hänschen in der Grube, Ensslin & Laiblin Verlag, Reutlingen 1957
Kleine Schwester Schwalbe, Ensslin & Laiblin Verlag, Reutlingen 1958
Das Einhorn und der Löwe, Ensslin & Laiblin Verlag, Reutlingen 1958
Das gekränkte Krokodil, Ensslin & Laiblin Verlag, Reutlingen 1959
Der Bär und seine Brüder, Ensslin & Laiblin Verlag, Reutlingen 1961
Kasperle hat viele Freunde (Spiele), Ensslin & Laiblin Verlag, Reutlingen 1965

Wolkenreise für den König, Ensslin & Laiblin Verlag, Reutlingen 1968
Ein Fuchs fährt nach Amerika, Georg Bitter Verlag, Recklinghausen 1968
Redleg, der Piratenjunge, Ensslin & Laiblin Verlag, Reutlingen 1969
Das Karussellgeheimnis, Loewes Verlag, Bayreuth 1969
Ein Stern für alle, Loewes Verlag, Bayreuth 1971
Bombo in seiner Stadt, Thienemanns Verlag, Stuttgart 1972
Kopfkissenbuch für Kinder, Annette Betz Verlag, München 1972

Jugendbücher:

Der Sohn des Columbus, Ensslin & Laiblin Verlag, Reutlingen 1952
Die Höhlen der großen Jäger, Ensslin & Laiblin Verlag, Reutlingen 1953; im Bertelsmann Jugendbuch-Verlag, Gütersloh 1961 (Neuausgabe im Thienemanns Verlag, Stuttgart 1972)
Steppensöhne, Ensslin & Laiblin Verlag, Reutlingen 1954
Die Brücke der Götter, Sigbert Mohn Verlag, Gütersloh 1955
Die Barke der Brüder, Ensslin & Laiblin Verlag, Reutlingen 1956 (Neuausgabe im Ehrenwirth Verlag, München 1968)
Die Welt der Pharaonen, Bertelsmann Jugendbuch-Verlag, Gütersloh 1959
Ich zog mit Hannibal, Ensslin & Laiblin Verlag, Reutlingen 1960
Gold und Götter von Peru, Bertelsmann Jugendbuch-Verlag, Gütersloh 1963
Der große Alexanderzug, Ehrenwirth Verlag, München 1967
Im Lande Ur, Bertelsmann Jugendbuch-Verlag, Gütersloh 1968
Dimitri und die falschen Zaren, Ehrenwirth Verlag, München 1970

Folgende Kinder- und Jugendbücher wurden von Hans Baumann übersetzt:

Iwan Krylow, Kleiner Weltspiegel, Sigbert Mohn Verlag, Gütersloh 1956
Leo Tolstoi, Die Brüder des Zaren, Sigbert Mohn Verlag, Gütersloh 1961
Konstantin Paustowski, Der rote Räuber, Loewes Verlag, Bayreuth 1969
E. I. Tscharuschin, Petja in der Krähenschule, Georg Bitter Verlag, Recklinghausen 1969
Juri Korinetz, Dort, weit hinter dem Fluß, Beltz & Gelberg, Weinheim 1971

Waleri Wedmedew, Ein Schandfleck für die ganze Schule, Thienemanns Verlag, Stuttgart 1972
Sergej Michalkow, Freie Bahn den Kindern, Arena Verlag, Würzburg 1972
Wadim Netschajew, Pat und Pilagan, Georg Bitter Verlag, Recklinghausen 1972

Folgende Stücke wurden mit freundlicher Erlaubnis der nachstehend genannten Verlage übernommen:

„Fenny, der Wüstenfuchs", „Der große Elefant und der kleine": Annette Betz Verlag, München. In diesem Verlag sind beide Geschichten als Bilderbücher erschienen, „Fenny" mit Bildern von Eleonore Schmid, „Der große Elefant und der kleine" mit Bildern von Herbert Lentz.

„Das Schiffschaukelschiff", „Die drei im blauen Ballon", „Kasperle und die Wunschfeder": Ensslin & Laiblin Verlag, Reutlingen. Die beiden Geschichten erscheinen hier in neuer Fassung. Die zweite Geschichte hat als Ensslinbuch den Titel: „Wolkenreise für den König".

„Das Everl und der Aff" aus dem gleichnamigen Buch im Ehrenwirth Verlag, München.

„Strohgelbe Haare", „Buchstaben zu verkaufen", „Ein gutes Versteck", „Ein kleiner Fisch spricht mit dem Wal", „Der Fliederbusch", „Das Wolkenboot", „Eine Lok stellt sich vor", „Die Stachelschweinschlacht" – alle aus: „Der Kindermond", Georg Bitter Verlag, Recklinghausen.

„1:0 für die Kinder", „Die Krone", „Neues von der Floh-Olympiade", „Zwei Miezekatzen, verschieden alt", „Das weltberühmte Huhn", „Die Astronautenfrau", „Was der Bagger sich wünscht", „Dampfwalzenschnack" – alle aus: „Buchstaben zu verkaufen", Loewes Verlag, Bayreuth.

»Ravensburger Taschenbücher« kann man ansehen, anfassen, lesen, kaufen – Prospekte kann man mitnehmen, Information bekommen in Buchhandlungen, Spiel- und Schreibwarengeschäften und Warenhäusern

Zu Haus und anderswo

217 Baumann, Ein Kompaß für das Löwenkind (JM ab 8)
1 Buck, Der Drachenfisch (M ab 7)
204 de Jong, Raymond und sein Pferd (JM ab 8)
166 Kleberger, Unsre Oma (JM ab 8)
136 Ruck-Pauquèt, Die bezauberndsten Kinder d. Welt (JM ab 8)
162 Sachs, Eine Freundin für Jenny (M ab 10)
154 Wölfel, Sinchen hinter der Mauer (M ab 7)

Märchenhafte und fantastische Geschichten

165 Collodi, Pinocchios Abenteuer (JM ab 8)
137 Fleming, Tschitti-tschitti-bäng-bäng (JM ab 9)
178 Guggenmos, Ich hab's mit eigenen Ohren gesehn (JM ab 8)
197 Janosch, Lügenmaus und Bärenkönig (JM ab 7)
174 Nesbit, Die Kinder von Arden (JM ab 10)
210 Schmidt, Laß das Zaubern, Wiplala! (JM ab 8)
167 Watkins-Pitchford, Die Wichtelreise (JM ab 10)

Abenteuer und Spannung

160 Baumann, Das gekränkte Krokodil (JM ab 8)
194 Bawden, Der Geheimgang (JM ab 10)
233 Das Marsungeheuer u. a. Science Fiction Stories (JM ab 11)
200 Das Wassergespenst von Harrowby Hall (JM ab 12)
187 Dawlish, Der pfiffige Pirat Jacko (J ab 10)
143 Kruse, Die Strolche von Oltrone (JM ab 10)
196 Noack, Jungen – Pferde – Hindernisse (J ab 11)
225 Poe, Gordon Pym (J ab 12)
176 Southall, Buschfeuer (JM ab 12)
220 Vauthier, In jener Nacht ... (JM ab 12)
59 Wölfel, Der rote Rächer (JM ab 10)

Bildergeschichten

20 plauen, Vater und Sohn (JM ab 7)
104 Press, Mein kleiner Freund Jakob (JM ab 8)
184 Schulz, Charlie Braun und seine Freunde (für alle)

Detektivgeschichten

169 Baudouy, Der Fall Carnac (JM ab 10)
91 Berna, Das Pferd ohne Kopf (JM ab 11)
208 Ecke, Das Schloß der roten Affen. Club der Detektive 1 (ab 10)
214 Ecke, Der Mann in Schwarz. Club der Detektive 2 (JM ab 10)
221 Ecke, Das Gesicht an der Scheibe. Club d. Detektive 3 (JM ab 10)
227 Ecke, Solo für Melodica. Club der Detektive 4 (JM ab 10)
199 Ecke, Perry Clifton und die Insel der blauen Kapuzen (JM ab 10)
193 Hildick, Kelly und seine Freunde (JM ab 10)
180 Hitchcock, Wer war der Täter? (JM ab 11)
60 Press, Die Abenteuer der »schwarzen hand« (JM ab 10)

Indianer und Cowboys

121 Hetmann, Von Cowboys, Tramps und Desperados (J ab 12)
76 Jürgen, Blauvogel (JM ab 11)
189 Schaefer, Der Felsenkäfig (JM ab 12)
175 Steuben, Ruf der Wälder (J ab 10)

For Teens only!

170 Berger, Drei aus einer Elf (J ab 12)
181 de Cesco, Im Wind der Camargue (M ab 12)
195 Habeck, Marianne und der Wilde Mann (JM ab 12)
188 Neville, Ein heißer Sommer in New York (JM ab 12)
201 Noack, Die Milchbar zur bunten Kuh (M ab 13)

Märchen und Sagen

192 Hauff, Das Gespensterschiff (JM ab 9)
117 Kästner, Die Schildbürger (JM ab 7)
172 Kästner, Till Eulenspiegel (JM ab 7)
198 Kästner, Münchhausen (JM ab 8)

Aus Geschichte und Zeitgeschichte

151 Baumann, Gold und Götter von Peru (JM ab 13)
234 Procházka, Es lebe die Republik (JM ab 13)
97 Serraillier, Das silberne Messer (JM ab 12)

Nacherzählungen biblischer Geschichten

46 Bolliger, David (JM ab 9)
94 Bolliger, Joseph (JM ab 9)
130 Bolliger, Daniel (JM ab 9)
231 Bolliger, Mose (JM ab 9)

Tiergeschichten

168 de Jong, Komm heim, Candy (JM ab 10)
171 London, Der Ruf der Wildnis (JM ab 12)
99 North, Der kleine Rascal (JM ab 9)
10 Reinhardt, Hansel Knopfauges Abenteuer (JM ab 10)

Lieder und Gedichte

80 Krüss, Gedichte für ein ganzes Jahr (JM ab 8)
140 Seifriz, Ringel Ringel Reihe (für alle)
158 Seifriz, Das Liederboot (JM ab 12)
164 Viel Glück und viel Segen (JM ab 8)

Spielen und Basteln

190 Baumann, Kasperle hat viele Freunde (JM ab 7)
15 Denneborg/Gut, Kinder laßt uns Kasperle spielen (JM ab 8)
47 Glonnegger, Spiel mit (für alle)
4 Michalski, Zauberbuch für Kinder (JM ab 9)
110 Wollmann, Basteln – Bauen – Experimentieren (J ab 10)
50 Zechlin, Das kleine Spielbuch (JM ab 8)

Denksport

152 Dehner, Wer quizelt mit? (JM ab 10)
202 Dehner, Wer macht mit beim Kombi-Quiz? (JM ab 10)
98 Morra, Heraus mit der Antwort (JM ab 12)
133 para, Rätselspäße (JM ab 10)
223 paras freche fragen (JM ab 10)
100 Weigl, Rätselzoo (JM ab 10)

Mehr Wissen

33 Disney, Die Wüste lebt (für alle)
66 Disney, Im Lande der Bären (für alle)
26 Press, Spiel – das Wissen schafft (JM ab 10)
146 Stern, Mit Tieren per Du (JM ab 12)
182 Weismann/Dobinson, Meine Lieblingsvögel Band 1 (JM ab 9)
1 Reihe »Farbiges Wissen«: Watson, Dinosaurier (JM ab 9)
4 Reihe »Farbiges Wissen«: Parker, Naturkräfte (JM ab 9)
6 Reihe »Farbiges Wissen«: Lehr, Stürme (JM ab 9)
7 Reihe »Farbiges Wissen«: Fichter, Reptilien (JM ab 9)
9 Reihe »Farbiges Wissen«: Evans, Steine – Steinsammlungen
10 Reihe »Farbiges Wissen«: Parker, Leben in der Natur (JM ab 9)
11 Reihe »Farbiges Wissen«: Martin, Tierwanderungen (JM ab 9)
12 Reihe »Farbiges Wissen«: Sprague de Camp, Motoren (JM ab 9)